Joseph Joffo est [illegible] sse-
ment, où son pè[illegible] ème
devient coiffeur, c[illegible] fré-
quenté l'école com[illegible] des
— son seul diplôr[illegible] sait
que l'accumulatio[illegible] talent
à qui n'en a pas.

Celui qu'il possède, Joseph Joffo le découvre en 1971 lorsque, immobilisé par un accident de ski, il s'amuse à mettre sur le papier ses souvenirs d'enfance : ce sera *Un sac de billes* paru en 1973, tout de suite best-seller traduit en dix-huit langues, dont des extraits figurent dans plusieurs manuels scolaires et dont un film s'inspirera.

Suivront *Anna et son orchestre* (1975), qui reçoit le premier Prix RTL Grand Public ; *Baby-foot* (1977) ; *La Vieille Dame de Djerba* (1979) ; *Tendre été* (1981) ; *Simon et l'enfant* (1985) ; *Le Cavalier de la Terre promise* ; *Abraham Lévy, curé de campagne* (1988) ; *La Jeune Fille au pair* (1993) et deux contes pour enfants, *Le Fruit aux mille saveurs* et *La Carpe* ; enfin, aux éditions Ramsay, *Un enfant trop curieux* (1998).

Paru dans Le Livre de Poche :

UN SAC DE BILLES
ANNA ET SON ORCHESTRE
BABY-FOOT
LA VIEILLE DAME DE DJERBA
TENDRE ÉTÉ
SIMON ET L'ENFANT
ABRAHAM LÉVY, CURÉ DE CAMPAGNE
LE CAVALIER DE LA TERRE PROMISE
LA JEUNE FILLE AU PAIR
JE REVIENDRAI À GÖTTINGEN

JOSEPH JOFFO

Agates et calots

RAMSAY

Ecrire, c'est une façon de vivre plusieurs vies...

Préface

C'est une grande première : j'écris une préface à l'un de mes livres. Je crois que, cette fois, c'est indispensable. Certains vont s'interroger. Pourquoi ce livre ? L'essentiel n'a-t-il pas déjà été dit dans le *Sac de billes* ?

Il faut croire que non. Très nombreuses furent les lettres dans lesquelles vous me questionnez sur ce que fut mon enfance. Vous désirez en savoir plus. « Votre père, vous n'en parlez pas beaucoup... Quel genre d'homme était-il ? » « Vous êtes bien le dernier des sept enfants de la famille Joffo ? » « Quel genre de maman aviez-vous ? » et puis vous comparez : « Moi, ma mère ne m'aurait jamais laissé partir à l'âge de onze ans avec un billet de cinquante francs en poche », etc.

C'est vrai, j'ai eu jusqu'alors une certaine pudeur à vous faire partager l'intimité de ma plus tendre enfance, celle d'avant le *Sac de billes*. Mais puisque vous me le demandez, je vais donc, avec votre complicité, vous faire découvrir le bonheur de cette famille dont les parents, immigrés russes, avaient choisi la France, non par le fait du hasard, mais simplement parce qu'il y avait au fronton des mairies trois mots magiques : « Liberté, Egalité, Fraternité ».

Bien sûr, notre génération attache moins d'importance aux Droits de l'Homme : nous ne savons pas ce que cela signifie d'essayer de survivre lorsqu'ils sont bafoués. C'est très différent pour les étrangers qui débarquent dans notre beau pays. « Liberté, Egalité, Fraternité »... Ces mots appartiennent au patrimoine de la France et des Français. C'est unique au monde. J'écris ton nom, Liberté...

Je voudrais également vous dire un mot de la banlieue de mon enfance : Freinville. Où est-ce ? Peu importe, partout en France, certainement... En ces temps difficiles, de crise, de chômage où, trop souvent, les parents restent sur le pas de la porte, regardant leurs enfants partir à l'école, les mots « Egalité et Fraternité » prennent tout leur sens. J'aimerais que Deauville et Trouville, stations balnéaires de luxe, de vacances, de palaces et de bien-être, soient jumelées avec Freinville pour que les enfants de cette banlieue d'un autre monde puissent connaître enfin autre chose que l'usine de freins, l'atmosphère polluée et les eaux saumâtres du canal de l'Ourcq que, dans mon enfance, nous prenions déjà pour la mer...

J.J.

Première partie

1

Sept ou huit heures du matin et nous sommes là assis, coincés entre le salon pour dames et le salon pour hommes, tout près de la caisse que Maman surveille. Il y a déjà quelques clients. Nous attendons les premières recettes pour avoir de quoi partir au marché. C'est qu'il y en a du monde, à la maison ! J'ai trois frères et trois sœurs. Je suis le petit dernier. L'enfant gâté, à ce qu'il paraît...

C'est bien : Maman ne me tient plus la main. Je vais pouvoir enfin m'échapper, mettre mon nez partout, parler avec les clients. Mon père est le patron de sa boutique. Tout le monde le respecte. Henri et Albert, mes deux frères aînés, sont aux fauteuils : ils travaillent. Papa peut compter sur eux, ils sont très efficaces. Pour mes sœurs, c'est une autre histoire. Madeleine s'occupe du salon pour dames, avec Rose qui est son apprentie. Quant à Esther, je crois bien qu'elle n'est pas vraiment attirée par la coiffure.

Le travail en famille, c'est pas toujours simple. Mais, pour une fois, aujourd'hui, ça a l'air de marcher.

La grande Marceline vient tout juste d'entrer. C'est une cliente de Madeleine :

— Salut, Marceline ! Comment vas-tu ? Tu es en pleine forme ce matin, fraîche comme une rose !

Je ne veux même pas entendre la réponse. Comment fait Madeleine pour débiter de si gros mensonges ? Pour la pleine forme d'accord : Marceline est obèse ! Mais pour la fraîcheur, c'est une autre histoire ! Il paraît qu'elle travaille comme vestiaire à Tabarin et, quand on a bossé toute la nuit, ça ne vous rend pas frais au petit matin.

Et je te fais la bise. Les filles, ça aime les bisous. Marceline n'y a vu que du feu :

— Madeleine, tu exagères ! Je sors du boulot, j'en peux plus ! Tu me laves la tête. Tu me fais une beauté. Je ne peux pas rentrer chez moi dans cet état, tu te rends compte ? Si mon Jules me voit comme ça, il risque d'avoir une crise cardiaque !

Je ne suis pas trop sûr de savoir ce que c'est, une crise cardiaque. Peut-être que ça s'attrape, et moi je sors d'une scarlatine ! il vaut mieux se renseigner :

— Madeleine, qu'est-ce qu'elle raconte ? C'est quoi, une crise cardiaque ?

Madeleine ne répond pas. Ça m'énerve. Quand je parle, j'aime qu'on me réponde. J'insiste :

— Madeleine, pour la deuxième fois : qu'est-ce que c'est, une crise cardiaque ?

Marceline s'approche :

— Faut pas le laisser mourir idiot, ton petit frère, après tout, il veut s'instruire ce gosse ! Viens ici, Jojo, je vais t'expliquer. Tu vois, je suis tellement tarte que, si je rentre dans cet état, mon mari risque d'avoir un malaise. Tu sais, comme toi quand tu as mangé trop de bonbons ou de chocolats, tu as mal au cœur... Tu comprends ?

Ça, c'est un comble !

— Mais alors, tu n'as pas pensé à nous ! Nous aussi, on aurait pu faire une crise cardiaque quand t'es entrée !

La baffe.

Pas eu le temps de faire « ouf ». Je l'ai pas vue venir.

Je ne savais pas que Madeleine avait un gauche si puissant. Elle est fortiche, ma sœur, pour les directs dans la mâchoire !

Maman accourt.

Calmement, Madeleine l'informe :

— Il n'est pas sortable, ce gosse. Il se mêle de tout. On ne peut pas le lâcher. T'as entendu ce qu'il a dit ? Heureusement que Marceline est une amie. Elle ne va pas se fâcher pour si peu, mais enfin quand même...

Elle ajoute, à mon intention, d'un air supérieur :

— Il serait temps qu'il apprenne les bonnes manières. Quand les grandes personnes parlent, les enfants écoutent et se taisent. Il méritait une correction.

C'est bien gentil de sa part de vouloir faire mon éducation. Je serre les dents. Si elle s'imagine que je vais me laisser faire ! Une gifle devant tout le monde, ça ne se discute pas : il y a outrage. Il en va de mon honneur. Réagir par le mépris, c'est la porte ouverte à tous les abus. Ce n'est pas tant la douleur que le principe. Rassemblant toute mon énergie, je me mets à hurler, pour ameuter tout le salon.

Bien joué. Première torpille efficace.

Mon père, mes frères et les clients volent à mon secours :

— Mais que se passe-t-il, Joujou ? Qu'est-ce qui t'arrive ?

Je ne réponds pas et crie encore plus fort.

Deuxième torpille.

C'est bon pour moi : ils s'inquiètent. Mais Madeleine n'est pas dupe :

— Quel cinéma pour une petite claque de rien du tout, qu'il a bien cherchée d'ailleurs !

Je suis le chouchou de mon père, et il y a des fois où il faut savoir abuser de la situation. Il ne peut pas supporter de me voir crier ou pleurer, même si ce sont des larmes de crocodile. Je le vois qui s'approche, tendrement. J'ai la partie presque trop belle :

— C'est... C'est Madeleine qui m'a frappé... dis-je dans un hoquet. Pour rien, j'ai juste dit à Marceline qu'elle avait raison.

Mon père ne veut pas en savoir plus. Il regarde ma sœur et, avant qu'elle n'ait le temps d'en placer une :

— C'est à tes enfants que tu te chargeras d'apprendre ce qui est bon ou pas bon, pas aux miens. Ici c'est moi et moi seul qui décide, compris ?

Et toc.

Madeleine bat en retraite. Elle comprend que la partie est perdue. Ecœurée, elle prend Marceline à témoin :

— Tu entends ça ? Ce sale môme a tous les droits. Je préfère ne rien dire. Viens, allons prendre un café...

Et voilà : gagné.

Elles sont dehors, j'ai tout le salon pour moi, et tout le monde m'entoure. Il y a le grand Alexandre « Kep'l ». On le surnomme « Chapeau » parce qu'il a les cheveux clairsemés sous sa casquette. Il y a Wintrop, le casseur d'œufs de la rue du Nord qui fournit toutes les pâtisseries du quartier et pour qui mon père a beaucoup de respect. C'est un homme arrivé, il a quatre fils dont il est très fier. Tous travaillent chez lui.

Papa ne rate pas une occasion de lui dire : « Avec mes quatre fils et mes trois filles, c'est encore moi qui ai fait le mieux. » Il a raison. Quatre garçons et trois filles, c'est pas donné à tout le monde.

Pourtant, il y a des jours où je me demande si c'est une chance de naître dans une famille nombreuse. Parfois, j'ai l'impression qu'ils sont tous contre moi. Heureusement que mon père est là pour me défendre. Il m'appelle « mon petit chou ». J'aime pas ça parce que ça fait marrer tout le monde.

Mais c'est loin d'être le pire ! Dans la famille, j'en entends de toutes les couleurs. Mes sœurs, quand elles veulent me faire hurler, elles m'appellent Suzanne. Parce que de beaux yeux bleus comme les miens, disent-elles, ça devrait être réservé aux filles. C'est de la jalousie. Pourtant, elles sont pas mal du tout, pour des filles. Et vachement roulées. Madeleine est grande, mince, brune, de grands yeux noirs qui ont la profondeur et la luminosité d'un ciel étoilé. C'est un de ses amoureux qui a trouvé ça. J'étais là, j'ai tout entendu, et comme c'était plutôt bien envoyé, je l'ai appris. Peut-être que je le redirai un jour à Blanche, qui habite pas très loin d'ici. Mais il faudrait que les choses avancent un peu plus entre nous...

Rose, mon autre sœur, est totalement différente. Un peu moins grande, aussi blonde que l'autre est brune. C'est rigolo. De grands yeux bleus, presque aussi bleus que les miens, dans lesquels on peut lire tout ce qu'elle pense. Moi je trouve qu'elle a comme un sourire dans le regard. Elle est toujours de bonne humeur, certains disent qu'elle pétille comme du champagne. C'est un compliment qui fait toujours plaisir à mon père. C'est vrai, le champagne, ça vaut très cher, alors c'est sûrement très bien. Et moi, il faut dire que j'ai un faible pour Rose. C'est ma sœur préférée. Elle chante tout le temps, et tout ce qu'elle chante, je le chante aussi. Je n'ai même pas besoin de leçons... Je l'écoute et après j'en fais autant. A force d'entendre le même refrain dix fois par jour, ça finit par rentrer. Charles Trenet, par exemple, n'a pas de secret pour moi. J'aime toutes ses chansons, surtout celle où il est question d'un grand-père qui oublie son cheval au vestiaire. C'est marrant, ce jockey qui se casse la figure le jour du grand prix ! Quand je chante ça, tout le monde rigole à la maison.

Sauf mon père.

Pour lui, les courses, c'est du sérieux.

Alors, bien sûr, il me demande :

— Joujou, dis-moi, tu n'en connais pas une autre ?

Et moi, comme j'aime faire plaisir, j'entonne une chanson dont je suis sûr, une chanson qui charmera tout le monde, Maman en particulier : « Bohémienne aux grands yeux noirs, tes cheveux couleur du soir ». Celle-là ce n'est pas Rose qui me l'a apprise, c'est ce que chante mon père à ma mère quand il veut la séduire. Parce que, pour lui, Maman est un peu comme la bohémienne. Elle a de grands yeux noirs. Aussi noirs que ses cheveux qu'elle n'arrive jamais à tenir bien attachés, alors elle a toujours de petites mèches qui flottent autour de son visage. Elle est toujours habillée à la maison avec son tablier qui l'enveloppe presque complètement. Ce que j'adore par-dessus tout dans la vie, c'est quand elle prend son violon pour nous jouer des airs qui lui mettent du rêve dans les yeux. Les soirs où Papa l'emmène dîner, elle se prépare pour se faire belle. Ses cheveux sont tirés, elle met du rouge sur ses lèvres et sur ses joues, elle nous embrasse avant de refermer la porte, on se sent enveloppé dans son parfum... Donc « Bohémienne, tes grands yeux noirs », c'est sans risque, tout le monde est heureux. Et moi, le bonheur des autres, y'a rien qui peut me réjouir davantage.

La taloche de Madeleine est déjà loin, et je ne suis pas rancunier. Esther vient d'arriver et se joint à nous.

Esther, c'est la plus jeune de mes trois sœurs. Elle, on peut dire qu'elle est vraiment gâtée pourrie. Elle n'en fout pas une à la maison, et à l'école on peut pas dire que ce soit fulgurant. Mais mon père pardonne tout à la « Reine Esther » parce que c'est une charmeuse. Elle sait s'y prendre avec lui. C'est vrai qu'elle est jolie. C'est un mélange de mes deux autres sœurs. Pourtant elle ne ressemble ni à l'une ni à l'autre. Mon frère Albert dit qu'elle manque de naturel, qu'il faut toujours qu'elle fasse des manières. Les filles, c'est comme ça. Elle fait du cinéma « Metro Goldwyn Mayer ». D'ailleurs, elle n'arrête pas de répéter, au cas où on y croirait :

— Je serai une grande actrice. Comme Sarah Bernhardt !

Je lui demande :

— Dis-moi, Esther, c'est qui, celle-là ? On la connaît ? Elle vient des fois au salon ? Tout le monde rit, je ne comprends pas pourquoi.

Le salon se remplit peu à peu. « Moïché Cigare » entre en faisant du bruit. Celui-là je ne peux pas le sentir à cause du cigare qu'il a toujours au bec. Il empeste tellement qu'il masque même les odeurs d'eau de Cologne. *Rêve d'or* et *Quelques Fleurs* n'y peuvent rien, ce n'est pas peu dire. Mon père l'aime bien, Moïché. Il l'accueille avec le sourire et nous désigne :

— Moïché, dis-moi ce qu'il faut faire avec une famille pareille ? Ce matin, Madeleine a fichu une baffe à Joujou et ça me le fait pleurer. Tu trouves que ça fait bien, dans un salon ?

— C'est pas grave, fait Moïché, philosophe, qu'on ait jamais d'autres *tsourès*[1]. Quand un enfant pleure, c'est parfois beaucoup mieux que d'entendre certains chanteurs.

Qu'est-ce qu'il a dit là ! Esther saute sur l'occasion :

— Mais vous savez, Moïché, mon petit frère sait aussi chanter, n'est-ce pas Jojo ? Tu vas nous montrer que tu chantes mieux que tu ne pleures. Allez, ne sois pas timide !

Coincé. Rien à répondre. Il va donc falloir que je m'exécute si je ne veux pas perdre la face. Bien sûr, je me fais un peu prier. Mais, pas trop, juste pour la forme.

Ils sont tous autour de moi, mon père, ma mère et tous les clients du salon. Ils m'encouragent, chacun selon ses goûts et son tempérament. Le vieux Kep'l veut que je chante en yiddish, à coup sûr parce que ça lui rappelle son Shtetl[2]. Il n'hésite pas :

— Yosselé, fais-moi une faveur. Un franc pour toi si tu me chantes *Kinder your fraïnt*[3].

Bien sûr que je vais lui faire une fleur puisqu'il me le demande avec tant de poésie. J'ai vite fait le compte dans ma petite tête. Un franc égale vingt sous, vingt sous, deux fois cinquante centimes et deux fois cinquante centimes égalent deux flans lyonnais sans gélatine chez Baron, le pâtissier qui se trouve juste à l'angle de la rue Marcadet et du boulevard Barbès. Et moi, pour un flan, je suis prêt à

1. Soucis.
2. Village.
3. *Mes amies d'enfance*, en yiddish.

tout. Alors, je me tourne vers ma mère, je prends mon regard angélique et je lui dis :

— C'est pour toi, Maman...

J'ai pas le temps de finir que j'entends le gros Alexandre :

— *Quel Mazel, Goldene Kinder*[1]. Vas-y, Yosselé, moi aussi je te donne un franc.

Ce coup-ci, c'est le pactole. J'en demandais pas tant ! Si ça continue, les autres vont se croire obligés d'en faire autant. Je me sens maintenant très à l'aise. Oubliée l'humiliation infligée par Madeleine, je suis sur un nuage. Je m'imagine en Amérique, à New York sur les planches de Broadway... Blanche est assise au premier rang, elle est venue spécialement pour me voir et je vois ses yeux remplis d'amour qui me regardent...

C'est vrai qu'elle est jolie cette chanson : *Chaigné sissé fraïnt, tserik tse mir velt ir kaïn moul nicht kimen*[2].

Quand je pense qu'Esther veut que je chante Charles Trenet, quelle erreur ! Ici, dans le salon de coiffure de mon père, c'est un peu les racines de leur village perdu qu'ils ont envie de retrouver. Je sais pourquoi. Maman dit souvent :

— La vie n'était pas facile au Shtetl. Mais on avait nos habitudes et nos amis. Ça peut sembler bizarre, mais les hommes sont comme ça, ils ont presque toujours la nostalgie du pays qui les a vus naître.

Silence total dans le salon : ils m'écoutent. Je me sens une âme d'artiste. Qui sait, peut-être quand je serai grand, j'en serai un, pour de vrai. Je me donne à fond. Ce n'est pas que pour le fric, j'ai vraiment envie de leur faire plaisir. Maman me regarde tendrement. Elle essuie une larme, et je me sens tout drôle. Ça ne me fait pas plaisir, je n'aime pas voir Maman pleurer. Henri arrête de travailler. Mon père est là,

1. « Quelle chance, des enfants en or ! »
2. Mes amies d'enfance, mes amies chéries, je ne vous retrouverai jamais.

avec tous ses clients qui sont aussi ses amis. Il me regarde. Ses yeux bleus expriment le bonheur, il est fier de son cher petit. Ses grosses moustaches blondes en forme d'accroche-cœur semblent tenir toutes seules.

Sacré type.

Grand, baraqué, l'air costaud. Quand je me vois avec mes mollets-ficelle, je me dis qu'il y a encore du boulot. C'est idiot : c'est à l'âge où c'est le pire qu'on les montre le plus. On traîne toute la journée en culotte courte, tandis que mon père, avec tous ses muscles, est couvert des pieds à la tête par son pantalon et son gilet. Mes frères, eux, ils portent une blouse pour manipuler les colorants et les teintures, tous ces produits que les dames demandent qu'on leur mette sur les cheveux pour les changer de couleur ! La vie est mal faite.

Mais aujourd'hui, qu'importe ! Cette journée est la mienne et peut-être un peu celle de mon père, parce qu'il est très fier.

Alors puisque ça leur fait plaisir, je continue sur ma lancée. J'enchaîne avec *Rojinkes met mandle'h*[1]. Celle-là, pour les paroles, je suis un peu léger. Je m'en tire avec « Lalalala... ». Ça marche. Ils reprennent tous en chœur. Sans fausse modestie, il faut dire que j'obtiens bien mieux que du succès. On peut parler de triomphe.

Les plus belles choses ont une fin. Le spectacle est fini. Après les applaudissements d'usage, je regarde ma mère. Elle est ravie. Plus de traces mouillées au bord de ses yeux, ce qui me rassure tout à fait. Ma sœur Rose me plaque deux grosses bises sur les joues.

— Yosselé, c'était vraiment très bien.

Si c'est Rose qui le dit, on peut la croire. Elle est formidable, ma Rosette, et si douce ! Ma place de petit frère me faisant naviguer entre les bisous de Rose et les baffes de Madeleine, je peux faire des

1. *Raisins et amandes.*

comparaisons. L'expérience m'apprend qu'il y a plusieurs sortes de femmes.

Blanche, elle, fait partie des douces... Comme aujourd'hui il n'y a pas d'école, je la verrai peut-être tout à l'heure.

Pour un bon jeudi, c'est un bon jeudi, faut pas se plaindre. J'ai même pas besoin de réclamer ce qu'ils m'ont promis. Je suis riche, j'ai deux francs cinquante en pièces de monnaie que je fais tinter au creux de mes poches. Ça fait un joli petit bruit. C'est agréable de savoir qu'aujourd'hui je n'ai pas à mendier mon argent de poche pour aller au Fantasio, le cinoche du quartier. Il y a un grand film avec Laurel et Hardy et un autre avec Ginger Rogers. Blanche adore Ginger Rogers. Elle est imbattable dès qu'il s'agit de l'imiter. Plus tard, elle aussi ira en Amérique, à Hollywood, pour montrer aux Amerloques ce qu'elle sait faire ! Je suis sûr que Blanche sera ravie de m'accompagner au ciné. Seulement voilà, j'ai tout de même un petit problème. Je suis pris entre deux feux : mon grand frère Maurice et Blanche, ma fiancée. Parce que le père Maurice, c'est pas son truc, Ginger Rogers.

Situation délicate.

Difficile de se passer de l'un ou de l'autre. Avec mon frère, je partage tout... ou presque, et pour la peine, il me fait croire qu'il me protège. Comme si je ne me débrouillais pas très bien tout seul ! Il s'imagine qu'il est bien plus malin et plus intelligent que moi. Je ne veux pas lui faire de peine, alors je lui laisse croire que c'est vrai. Il y a bien sûr toujours les fois où il exagère, par exemple quand il me surnomme Rondelle parce que, paraît-il, j'ai la gueule toute ronde. Là, je considère qu'il y a abus. Alors on se dispute. Mais, sur des trucs qui ne portent pas atteinte à mon honneur, je fais semblant de céder. Par exemple, le matin pour le petit déjeuner, on a chacun une petite cuillère en argent, et c'est toujours la mienne qu'il veut. Je lui laisse, parce que je m'en fiche. Il croit qu'il est le plus fort ! Ça m'amuse un peu mais, à la longue, c'est fatigant. Et malgré tout, je ne comprends pas pourquoi, je ne peux pas me passer de lui. Quand il est pas là, qu'il m'abandonne parce qu'il ne veut pas « s'embarrasser du mouflet », j'enrage. J'ai toujours l'impression qu'il s'amuse beaucoup mieux quand je ne suis pas là. Mais, avec tout ça, nous avons un formidable secret que nous partageons. Un jour, plus tard, on partira en Amérique. Tous les deux... Enfin, ça, c'est ce qu'il croit... parce que je ne lui ai pas tout avoué. Blanche s'est enfin décidée, et c'est à trois qu'on fera le voyage. Maurice n'aura rien à dire.

Aujourd'hui, je me sens son égal.

J'ai deux francs cinquante et, avec deux francs cinquante, on a deux places de cinéma. Pourtant, je m'étais promis de les garder rien que pour moi. Mais voilà, je ne sais pas garder un secret. C'est plus fort que moi, il faut que je me vante. Au retour du marché avec Maman, je me précipite dans la chambre. J'ouvre très vite les volets. Maurice se réveille à peine de sa grasse matinée. Il émerge de ses draps, les yeux encore gonflés de sommeil et les cheveux dans tous les sens. Je saute sur son lit en criant :

— Maurice, tu sais ce que j'ai sur moi ? Devine !

Il s'étire et lâche dans un bâillement :

— Qu'est-ce que tu peux avoir ? Dis-moi, t'as apprivoisé des poux ?

— Et pourquoi j'aurais des poux ? Faut toujours que tu fasses le mariole. Alors, t'es sourdingue ? T'entends pas ça ?

Je fais tinter mes pièces pour la deuxième fois en espérant que, cette fois-ci, il va comprendre et peut-être me prendre au sérieux, ce qui ne serait pas pour me déplaire. Il saisit sûrement le message. Mais j'ai dans l'idée qu'il veut faire durer le plaisir. Ce serait si simple de me dire : « C'est bien, Jojo, bravo, tu vois, toi aussi, quand tu veux, tu peux ! »

Mais ça n'arrivera jamais. Pour la seule et unique raison qu'il n'y a que lui qui fait des trucs bien. Je suis sûr qu'il entend le tintement des pièces au fond de ma poche. D'un air un peu soupçonneux, il demande :

— Dis, Jojo, qu'est-ce qui te donne tant d'assurance ? T'as trouvé un peu de fric ?

— Bravo, Moïché, t'as tout bon. T'es malin ! Comment t'as fait pour piger ?

— Jojo, je vais te dire un truc. T'es vraiment un nul. Le plus idiot des imbéciles aurait compris ton petit manège ! T'es là depuis cinq minutes à faire sonner tes sous et tu te demandes si j'ai pigé ? Tu me prends pour un abruti, ou quoi ? Tu sais bien que je sais tout ce que tu fais. C'est comme ça, je suis ton grand frère. Tu ne peux rien me cacher.

J'encaisse. Il y va un peu fort. Je le regarde pendant qu'il se coiffe. Ses cheveux bruns sont bien plaqués et brillent sous la Gomina. Je l'envie. Il a vraiment de la chance. Moi, personne ne parvient à dompter ma tignasse, et Dieu sait si dans la famille y'a des spécialistes ! On ne peut pas dire que j'ai la mèche rebelle : j'ai pas un seul cheveu qui reste en place ! J'ai beau leur coller un paquet de Gomina, rien à faire. Ils repartent tous vers l'avant.

Résultat : la frange.

Peut-être que plus tard, quand j'aurai un peu arrangé les choses du côté des muscles, mes cheveux blonds en bataille me donneront l'air d'un aventurier. Pour l'instant, la seule chose que ça me file, c'est des complexes vis-à-vis de Maurice. Ça m'agace d'avoir sept ans alors qu'il en a neuf. Malgré tout, lui non plus ne peut pas se passer de moi. Et puis, au ciné, ce qui est bien, c'est d'être placé entre Blanche et Maurice, comme ça, on peut échanger des impressions. Quand j'y pense, je n'ai plus envie de me battre contre lui. Ce n'est pas de la lâcheté, mais j'ai rien à gagner à énerver Maurice. Je lui décroche mon plus beau sourire :

— Bon... bon, ça me dérange pas que tu aies déjà tout deviné. Ce qui compte, c'est de savoir si tu veux venir au Fantasio cet après-midi, parce que j'ai de quoi payer ta place. J'ai chanté devant les amis de Papa et ils m'ont donné deux francs cinquante !

Maurice me coupe net. Dans la famille, on a le sens des réalités :

— T'as donc deux balles cinquante et t'es prêt à tout dépenser ? Quand je pense que c'est avec toi que je dois partir en Amérique... Tu ne comprendras jamais rien. J'explique et tu écoutes : je suis d'accord pour le ciné, mais à une condition. Tu me donnes la moitié de ton fric. On fait part à deux, et c'est moi qui paie les places. Tu marches ?

J'essaie de comprendre. Même si je ne suis pas très fort en calcul, je sais que 1, 25 franc plus 1,25 franc égalent deux places. Quelle combine imagine-t-il encore ? J'étais d'accord pour partager avec lui, mais là j'ai bien peur de me faire avoir... En plus, je ne lui ai pas encore dit que Blanche vient avec nous. Je sais mon frère capable de tout, et son assurance m'inquiète un peu :

— Maurice, explique-moi d'abord comment tu comptes t'y prendre pour...

— T'occupe pas du chapeau de la gamine. C'est pas tes affaires. L'essentiel, c'est que je vais te faire entrer sans payer. Le reste n'a pas d'importance. Tu préfères tout de même me filer tes sous, à moi, ton propre frère, plutôt que de les donner à la caissière du cinéma qui n'est rien pour toi... On s'en fout, on la connaît même pas. Alors, qu'est-ce que t'en penses ?

Logique.

Rien à redire.

C'est raisonner en frère et j'ai l'esprit de famille. C'est sûr, il vaut mieux que ce soit Maurice qui empoche plutôt qu'une inconnue. J'ai bien compris jusque-là, mais c'est après que ça devient plus flou :

— Moïché, dis-moi, quand même...

Il me donne une petite tape sur la tête :

— Mon petit Jojo, tu sais bien que je suis le plus fort... Alors ne t'occupe de rien et fais confiance à ton grand frère !

Bon.

Avec Maurice, on n'a guère le choix. C'est vrai aussi que cet après-midi me fait tellement plaisir que je n'ai pas envie de discuter trop longtemps. L'essentiel pour moi est que je ne sois pas seul, au ciné, avec Blanche. J'ai des tas de projets avec elle, mais c'est pour plus tard. Je suis timide avec les filles en général mais, avec Blanche, c'est pire que tout. Et sans Maurice, j'ai la trouille. Ça ne s'explique pas, c'est comme ça. Savoir qu'il vient, ça me rassure.

Donc, tout va très bien. L'après-midi s'annonce très chouette.

2

Pas de doute, aujourd'hui est un grand jour. J'invite mon frère et ma fiancée au cinéma. On sort à peine de table que Maurice me dit :

— Bon, t'es prêt Jojo ?

C'est plutôt bon signe quand il m'appelle Jojo, qu'il ne m'affuble pas d'un surnom minable. Il insiste :

— T'es prêt ? T'as le fric ? Bon, tu m'en passes la moitié !

Je ne pose pas de question : ce qui est dit est dit. C'est vrai que lui aussi pourrait me faire confiance. Mais avec Maurice, c'est toujours comme ça, il faut payer d'avance. Et si ça tourne mal, que sa combine marche pas ? C'est encore moi qui serai perdant, dans toute cette aventure. A contrecœur, je lui file le blé. Il le prend sans me remercier, en rigolant :

— Te fais pas de bile. Tu vas voir ! Je suis pas égoïste. Tu les aimes bien, Marcel et Samy ? Eh bien, on va les emmener au cinoche avec nous. Et tout ça pour le même prix ! C'est quoi, déjà, la phrase de Maman ? Ah, oui... : « Quand y'en a pour un, y'en a pour deux. »

Il sait me prendre. Je les aime bien Marcel et son petit frère. Ce sont les mômes du *beker*[1]. Ils habitent juste en face de chez nous. Ces deux-là ne vont pas souvent au cinéma. Chez eux, il y a le nécessaire, pas le superflu. Maurice a raison de les inviter. Je ne veux pas me rappeler que nous avons seulement deux francs cinquante. Et encore : deux francs cinquante divisés par deux !

Maurice traverse et attrape par le bras Marcel qui attend au coin de la rue Simart avec Samy. Marcel a un an de moins que Maurice, et Samy est plus petit que moi. Il faut dire aussi que je suis grand pour mon âge. C'est comme ça, on est tous grands dans la famille. Samy vient tout juste d'avoir cinq ans. Il ne parle pas beaucoup, il est timide. Il a beaucoup de succès auprès des mamans parce qu'il est très mignon et que c'est encore un bébé. La plupart du temps, il a une main dans celle de son grand frère, qui le traîne partout, et l'autre dans sa bouche pour sucer son pouce. Il a toujours les cheveux en bataille, et ses vêtements, qui lui arrivent en droite ligne de son frère, sont rarement à sa taille. Ses toutes petites jambes sortent à peine de sa culotte qui lui fait presque un pantalon et son pull-over tombe comme une robe. Samy ressemble à son frère, en miniature. Et comme on les voit rarement l'un sans l'autre, on ne peut vraiment pas se tromper. Marcel, lui aussi, a toujours la même dégaine. Dans son éternelle veste bleu marine aux poches largement déformées, il a toujours l'air de rêver... Il bave bien sûr littéralement devant Maurice, comme tous les types du quartier. Quand mon frère parle, on l'écoute. Y'a pas à dire, c'est un chef. C'est drôle pourtant, il raconte parfois des trucs complètement invraisemblables, mais ça ne fait rien. Tout le monde marche et en redemande. Nous sommes donc tous autour de Maurice à l'écouter parler lorsque Blanche arrive.

— Bonjour, Jo ! me dit-elle avec son beau sourire.

1. Boulanger.

Je ne rêve pas. Elle ne s'est adressée qu'à moi. De toute façon, une fois de plus, j'ai eu un choc en la voyant. Elle est vraiment trop jolie dans sa robe lilas. Je crois que ce que j'aime surtout chez elle, ce sont ses cheveux noirs très épais qui tombent jusqu'en bas du dos et ses mollets bien ronds. Elle a des yeux noirs très grands, comme ceux de maman, et plus tard, je lui chanterai « Bohémienne, tes grands yeux noirs » pour la charmer, comme le fait mon père avec Anna. Le visage de Blanche est très pâle, ce qui va bien avec son prénom, et sa bouche m'a toujours fait penser à une framboise, comme celle qui est dessinée sur mon livre de sciences naturelles. Elle a une voix qui chante et il n'y a qu'elle pour m'appeler « Jo », ce qui me fait plaisir. C'est peut-être parce que je sens que Maurice n'aime pas ça. Ce jour-là, ils manquent d'ailleurs de se disputer. On s'est à peine mis en route que Maurice recommence à faire l'intéressant :

— Plus tard, Jojo et moi, on ira faire fortune en Amérique. Là-bas, il y en a qui commencent par porter des journaux et qui finissent milliardaires. Tu vas voir, Blanche, on sera à New York avant toi.

Elle ne se fâche même pas :

— Je ne suis pas pressée, mais tout ce que je peux te dire, c'est que je serai célèbre et ton petit frère un grand artiste... s'il m'écoute.

Maurice s'énerve :

— Mon frère, il n'écoute que moi. T'es une fille, t'as pas la parole.

Je n'aime pas qu'on se dispute, j'interviens et j'en profite pour faire passer le message à Maurice :

— Bon... bon... Tout ça, c'est pas grave. Blanche viendra avec nous en Amérique. Ce sera beaucoup mieux d'être tous ensemble. Ouf, ils ont l'air tous d'accord, Maurice ne répond rien et elle me fait un bisou. Je le garde longtemps, tout chaud sur ma joue. Elle sent l'eau de lavande, c'est vraiment agréable. Elle jette un regard pas très aimable à Maurice.

Je suis curieux de savoir comment Maurice va s'y

prendre pour nous faire tous entrer au Fantasio. C'est le plus beau cinéma du quartier, juste à l'angle du boulevard Barbès et de la rue Ordener, un véritable fort imprenable comme dans l'histoire d'Indiens qu'on a vue il y a trois semaines. Pour entrer, il faut d'abord prendre des billets, et j'ai jamais vu les contrôleurs permettre à des gens d'entrer à cinq avec un seul ticket. Malgré tout, bien que cela semble impossible, je ne me fais pas trop de souci. Maurice a évidemment son idée. Il prévoit toujours tout. Nous voilà maintenant tout près du cinéma. Sur la façade, une affiche formidable, toute en couleurs, représente un homme à cheval tenant un pistolet dans chaque main. Des Indiens l'encerclent. Je sens revenir le coup du fort. Rien que l'affiche est déjà tout un programme. Marcel s'extasie :

— C'est beau, hein Maurice ? T'es vraiment gentil de nous inviter. Depuis le temps que j'entends parler de Tom Mix et de son cheval blanc !

Maurice se rengorge. Il adore qu'on le remercie. C'est vrai qu'il est gentil, qu'il sait être généreux. Mais il faut qu'on lui voue une reconnaissance éternelle. Il répond, d'un air faussement dégagé :

— Un jour, Marcel, je te parlerai de Tom Mix. Je le connais bien. Je l'ai rencontré.

Mon frère est incroyable. Je reste sans voix. S'il avait rencontré Tom Mix, c'est sûr qu'il me l'aurait dit. S'il ne m'a rien dit, c'est qu'il est encore en train de baratiner. Qu'est-ce qu'il va encore faire avaler à ce gros naïf de Marcel ? Je n'en crois pas mes oreilles. Et l'autre marche une fois de plus :

— C'est vrai Maurice ? Tu connais Tom Mix ? Tu l'as rencontré où ?

— Plus tard, plus tard, Marcel, je te dirai tout. Pour le moment on se dépêche.

Silence dans les rangs.

Le frangin nous entraîne à sa suite. On dépasse le cinéma, on tourne à droite du boulevard Barbès, dans la rue Ordener. On avance encore un peu et, là, Maurice s'arrête net devant une petite porte.

— C'est bon, attendez-moi là. Moi, je rentre par la grande porte. Je viendrai vous ouvrir dès que les lumières s'éteindront. Alors, surtout ne bougez pas. Bien sages, les enfants.

M'énerve.

Toujours ce ton protecteur. C'est agaçant ! Maintenant nous n'avons plus qu'à attendre et à espérer que tout se passe comme il l'a prévu. Tout le monde se pose la même question, mais c'est Samy, le petit frère de Marcel, qui ose :

— Dites, quand est-ce qu'il va revenir Maurice ? Vous croyez qu'il va revenir ?

— C'est vrai, s'inquiète Marcel. Si ça se trouve, il reviendra pas.

Blanche ne dit rien. Elle sait que je ne supporte pas qu'on mette en doute la parole de mon frère.

— Marcel, quand Moïché fait une promesse, tu sais très bien qu'il la tient toujours, dis-je.

Je ne suis sûr de rien, mais je veux y croire. Et, pour une fois, je n'ai pas tort. Après un énorme quart d'heure d'attente, la porte s'entrebâille et Maurice apparaît, tout sourire. Il nous fait signe et nous nous engouffrons à l'intérieur. Cette fois-ci, on est dans les murs. On se fait tout petits et on s'écrase. Si on se fait piquer, c'est la dérouillée ! Je préfère ne même pas y penser : profitons du plaisir que l'on a à désobéir !

On navigue dans un couloir sombre et étroit qui mène aussi aux toilettes. Encore un petit effort... C'est gagné... !

Sans se consulter, on s'est tous pris par la main. La salle est complètement noire. On avance à tâtons.

Tout s'est passé sans le moindre problème. Nous voilà assis au premier rang, dans des fauteuils trop grands pour nous. Samy disparaît littéralement dans le creux de son siège. Notre grand luxe est de nous mettre le plus près possible de l'écran, pour ne pas en perdre une miette. Parce que c'est bien connu, plus on est proche de l'écran, mieux on voit et mieux on entend !

C'est un moment d'intense bonheur partagé. On a réussi ! Nous sommes tous là comme des rois, mon frère, ma fiancée et mes petits copains. Maurice, une fois encore, nous épate au moment de l'entracte. Personne ne sait comment il se débrouille pour apporter à chacun de nous un chocolat glacé.

— Moïché, où t'as eu les chocs ? Je ne t'ai pas vu les acheter !

Il me répond du tac au tac :

— Ferme-la et régale-toi ! Tu sais bien, quand y'en a pour un, y'en a pour l'autre. T'as bien vu qu'avec un ticket on est rentré à cinq, alors pour les chocs c'est pareil. Il faut se débrouiller si on veut voir l'Amérique un jour...

Il a raison. Faut qu'on fasse des économies. L'Amérique, on ne pense qu'à ça. Tous les jours, on en rêve. On fait des plans, on embarque sur le *Normandie*, on prend l'avion. On ne sait pas très bien comment on y arrivera... Mais c'est sûr, on va finir par trouver. J'en suis persuadé, parce que avec mon frère, il vient de le prouver, rien n'est impossible.

La salle se replonge dans l'obscurité et ce que nous voyons nous fait frissonner. Il est fort ce Tom Mix ! Seul contre une multitude d'Indiens qui tombent comme des mouches. Il va finir par se faire avoir, c'est sûr. Je sens Marcel crispé sur son fauteuil : il a repris la main de Samy, qui suce avidement son pouce. Blanche paraît attentive, bien que toujours un peu lointaine, et ça me rassure un peu qu'elle ne se fasse pas trop de soucis pour un autre. En plus, il ne faut pas nous prendre pour des idiots, Tom Mix s'en sort à chaque fois comme par miracle, ce qui veut dire qu'il n'y a pas trop à s'inquiéter. Je me cache quand même les yeux pour ne pas voir l'Indien, la figure toute colorée, qui surgit comme un diable, une hache à la main pour découper ce bon Tom Mix. Heureusement, son cheval blanc, qui est aussi son plus fidèle compagnon, est un animal remarquablement intelligent, il sait ce qu'il doit faire pour sauver Tom Mix. Il arrive au galop et Tom Mix saute sur son dos, ce qui fait trébucher l'Apache qui mord la poussière. J'entends alors un grand « ah ! ah ! » dans la salle, suivi pour notre part d'un « ouf » de soulagement. On a quand même eu de belles émotions.

Au retour, Maurice est assez content de lui. Il faut reconnaître qu'il s'est très bien débrouillé. Il me dit en sortant de sa poche un franc et vingt-cinq centimes :

— Tu vois, la semaine prochaine, t'as même pas besoin de chanter pour aller au cinoche. J'ai ce qu'il faut.

Je ne veux pas qu'il ait le dernier mot :

— N'empêche qu'aujourd'hui, si je n'avais pas chanté, y aurait pas eu de cinoche, et du même coup, pas non plus la semaine d'après !

C'est net. D'ailleurs, même Blanche s'énerve :

— Peut-être que la semaine prochaine, on ne voudra pas aller au ciné. Toi, tu choisis toujours des films de cow-boys. Moi, j'ai envie de voir autre chose...

Maurice ricane et ne lui envoie pas dire :

— Faudrait d'abord qu'on ait envie de venir avec toi... Mais, si ça ne t'a pas plu, je te rembourse...

Ces deux-là, ils sont souvent comme chien et chat. J'ai toujours peur qu'ils se fâchent pour de bon. Je n'arrive pas à comprendre pourquoi Maurice n'aime pas Blanche.

Une fois encore j'essaie d'arranger les choses :

— Tout ça c'est pas grave. Après tout... on a pas à se plaindre. Pour le prix, c'était plutôt bien ! Et, la semaine prochaine, on verra...

Marcel intervient :

— Oui, la semaine prochaine, pour changer on peut toujours aller à la *schil*[1].

1. Synagogue, en yiddish.

— Tiens, remarque Maurice, tu crois en Dieu, toi, maintenant ?

— Non... pas vraiment, mais de temps en temps, ils font des fêtes, ils donnent des jouets, des bonbons, plein de trucs, même des gâteaux...

Maurice réfléchit à haute voix :

— La *schil*... la *schil*, Aaron dit qu'il n'y a que le vendredi soir où c'est drôle... Dans le fond, pourquoi pas... on peut toujours essayer. Mais la *schil*... C'est pas du cinoche...

Samy enlève son pouce de la bouche pour intervenir. Il a parfois de bonnes sorties pour son âge. Il a beau être encore petit, il sait ce qu'il veut :

— L'autre jour à la *schil* avec Marcel, on n'a pas eu un seul bonbon ni un seul jouet ! Le Rabbi n'avait plus rien pour nous quand notre tour est arrivé ! Alors moi, j'aime mieux aller au ciné avec Maurice,

— C'est rien, ça peut arriver, fait Maurice qui joue les modestes, faut pas lui en vouloir. Demain, on ira tous ensemble et tu vas voir, Samy, il y aura des jouets pour tout le monde.

— Ouais, renchérit Marcel, si on arrive les premiers, ça doit pouvoir se faire. Moi aussi je suis copain avec Aaron. Lui c'est le chouchou du Rabbi, c'est toujours lui qui fait la distribution.

Maurice me jette un regard de connivence. Nous aussi on connaît bien Aaron, le fils du bonnetier de la rue Simart. C'est un grand, il a trois ou quatre ans de plus que nous. Mon père ne l'apprécie guère. Il n'aime pas non plus qu'on aille trop à la *schil*. Il dit toujours : « *Me tur nicht ganvenen, me darf nicht davenen*[1]. » Pourtant, mon père est très tolérant. Tout au fond de lui, je suis à peu près sûr et certain que ça lui fait plaisir. D'ailleurs, il est très copain avec le père d'Aaron, qui dit toujours que son fils sera rabbin. Une fois, j'ai entendu mon père lui répondre :

— Pourquoi pas... Il n'y a pas de sot métier.

1. « Faut pas voler, faut pas prier. »

Mais je ne suis pas si sûr que ce soit un bon métier pour un juif.

Puis il est parti d'un grand éclat de rire.

Cette fois-ci, c'est du sérieux. Maman nous a briqués. On est propres sur nous, les cheveux bien plaqués. J'ai mis une tartine de Gomina pour que ça tienne bien en arrière comme Maurice et je me suis aspergé d'eau de Cologne. Je regarde Moïché : pour un peu on s'y laisserait prendre. Il ressemble à un premier de la classe, ce qui est un comble. Anna nous embrasse. Elle est très contente, je sens bien que ça lui fait plaisir que nous allions à la *schil*. Elle nous regarde partir en disant :

— Un peu de religion, ça ne peut pas leur faire de mal. Ça donne de bons principes.

Mon père, ça le met en colère. Du fond du couloir, on entend :

— Tu sais ce qu'il dit, monsieur Marx ?

Et comme Maman ne répond pas, il continue sur sa lancée :

— Monsieur Marx, qui est un grand philosophe, a dit : « La religion, c'est l'opium du peuple ! ça endort les classes laborieuses, ça les empêche de voir leur malheur et du même coup, ils se laissent avoir par des hommes du Grand Capital et ne font même plus la grève... »

Ma mère se retourne et crie en direction du couloir :

— On s'en fiche pas mal de Marx. D'ailleurs, pourquoi est-ce que je dois faire confiance à un type que je n'ai jamais vu, et qui n'est même pas de la famille !

Quand ma mère dit de quelqu'un qu'il n'est pas de la famille, il n'y a rien à ajouter. La cause est entendue. Mon père le sait très bien. Il n'insiste donc pas. Il fera mieux la prochaine fois.

3

C'est sabbat et on a tous rendez-vous avec les copains pour aller à la *schil*. Maurice et moi partons devant. Au passage nous ramassons P'tit Louis le rouquin, le fils du boucher, juste en bas de chez nous. C'est l'heure de la sieste et Samy, endormi, ressemble à une poupée de chiffon traînée par Marcel qui flotte toujours dans sa grande veste bleue. Ils sont accompagnés de Jacquot que ses parents pour une fois ont laissé sortir et qui s'est fait beau pour la circonstance. C'est bien la première fois que je lui vois des chaussettes blanches. Et, bien sûr, il y a Aaron, chargé de diriger la troupe. Très général en chef, il nous passe en revue :

— Bon, très bien, pour une fois, vous n'êtes pas en retard. Vous ne le savez peut-être pas, mais c'est doublement fête aujourd'hui. C'est sabbat mais c'est aussi Hanoucah.

Fin de la leçon.

Il n'y a aucun doute, ce type m'impressionne.

La petite bande au complet part d'un bon pas. Gagné par l'excitation générale, Samy sort de sa torpeur. Tout le monde est très gai. C'est chouette : puisque c'est double jour de fête, il y aura sûrement une double distribution de cadeaux. Au fond, ce serait bien normal ! J'entends Aaron le confirmer à Maurice :

— Ce soir, il va y avoir la foule des grands jours à la *schil*. Hanoucah, tu sais, c'est un peu chez nous comme le Noël des chrétiens, pour les enfants.

— Ça, c'est une bonne nouvelle. Dis-moi, si on passait prendre Jeannot, le fils de la concierge ? Qu'est-ce que tu en penses ? Lui, il a jamais de jouets...

— C'est une fête juive, Hanoucah... Tu crois que sa mère va le laisser venir ?

— On peut toujours essayer, puisqu'on passe devant chez lui.

Jeannot est drôlement content. Il n'a même pas demandé à sa mère. Lui, du moment qu'il y a une fête quelque part, il n'en a rien à faire qu'elle soit juive ou chrétienne. Et moi, je trouve que c'est très bien comme ça. Arrivés à la *schil*, on a tous mis nos kippas. Il est interdit d'y entrer la tête nue. Et comme Jeannot n'en a pas, Marcel a la bonne idée d'aller voir le *schamès*[1] qui lui en prête une. Et tout se passe bien. Enfin presque. La kippa de Samy ne veut pas rester vissée sur sa tête, ce qui l'oblige à la tenir et, comme Marcel l'agrippe toujours par l'autre main, il ne peut plus sucer son pouce. Alors il se venge en répétant un peu trop fort :

— Je veux aller au cinéma à Fantasio. Ici c'est pas marrant.

Marcel tente de lui faire entendre raison :

— Samy, il faut que tu comprennes. La *schil* c'est pas du cinoche. Ça n'a rien à voir. C'est pas pour de rire... C'est juste pour être plus près du Bon Dieu.

— Je l'ai jamais vu, le Bon Dieu, répond Samy. Pourquoi je dois avaler tes *boube massès*[2] ?

— Tu dois me croire parce que je suis ton grand frère. Et puis, tu vas voir, on va repartir avec plein de cadeaux. C'est le Bon Dieu qui va nous les donner.

Argument décisif, Samy obtempère. Marcel fait fort : mettre le Bon Dieu dans le coup, mais après tout... Tout ça m'amuse, je suis impatient de voir la suite. Je connais bien Samy : il ne faut pas lui raconter d'histoires, sauf quand il le demande, mais dans ce cas, ce sont toujours les mêmes et elles sont écrites dans des livres.

La discussion tourne court car le Rabbin en personne commence la distribution des jouets, secondé efficacement par notre ami Aaron, tout fier. C'est ce que nous attendons depuis le début de la fête. Enfin, ils tendent un nounours à Samy, qui en lâche sa kippa et son frère :

1. Equivalent du bedeau pour la synagogue.
2. Histoires de grand-mère (balivernes), en yiddish.

— Tu vois Samy, tout peut arriver... Le Bon Dieu nous a bien servis.

Je me demande s'il va avoir assez de mains pour reprendre celle de son frère, sucer son pouce et garder son nounours. Ravi, Samy qui n'est pas du genre à abandonner le morceau, se tourne vers moi :

— Le Bon Dieu, il a eu de la chance d'avoir le Rabbi et Aaron. Parce que, s'il avait été tout seul, on aurait pu attendre longtemps.

C'est drôle, il me semble impossible que l'Eternel n'ait rien à voir dans cette histoire :

— Ecoute, Samy, je t'assure que sans le Bon Dieu, ce soir, on aurait pas eu de jouets. Il faut que tu comprennes : le Bon Dieu est très occupé. Il peut pas être partout à la fois, dans toutes les *schils* du monde à la même heure et au même moment !

Samy m'écoute, attentif :

— T'as raison, il a trop de travail ! Il se fait remplacer par le Rabbi et par Aaron. Ça m'est égal. Les jouets, on s'en fiche de savoir qui les distribue !

Je me demande si Samy a le sens du sacré.

J'opine du chef en le regardant câliner son ours en peluche. Marcel est occupé ailleurs, Samy est plus libre de ses mouvements.

Chacun a ses jouets. Maurice s'est encore débrouillé pour avoir un sac de billes. Je suis moi-même assez satisfait de ma toute petite camionnette rouge que je pourrai facilement échanger à l'école contre un beau calot. Quelle fête ! En quittant la *schil*, nous regrettions qu'elle se termine si vite. Nous ignorons, Maurice et moi, qu'elle ne fait que commencer.

4

En arrivant chez nous, je comprends tout de suite que ce n'est pas un sabbat ordinaire. Maman a sorti une belle nappe, le service de table et l'argenterie des grands jours. Il y a aussi les jolis verres fragiles qu'on n'a pas le droit de toucher et que Maman range dans le buffet. C'est vrai, ça n'est pas comme d'habitude. Maurice s'informe :

— Qu'est-ce qui se passe ce soir ? On a sorti les beaux verres ? Alors, si je comprends bien, Jojo et moi, on mange à la cuisine ?

Maman s'apprête à nous répondre quand ma sœur Rose fait une entrée solennelle en s'immobilisant à la porte, les mains sur la taille. Nous restons bouche ouverte devant le spectacle. Et pourtant, nous ne sommes pas, Maurice et moi, le genre à nous laisser embarquer. Mais là, on n'en revient pas. Pour un peu, on serait très émus de voir notre Rosette si belle.

— Comment me trouvez-vous ? demande-t-elle en tournoyant sur elle-même.

Madeleine, que nous n'avons pas vue entrer, nous fait redescendre sur terre :

— Superbe, hein ? N'est-ce pas qu'elle est belle ?

S'adressant à Rose :

— Tu as bien fait de choisir de la soie rouge, ça met ton teint et tes cheveux en valeur. On y aura mis le temps, mais on l'a bien réussie, cette robe ! Regardez, les enfants, admirez notre petite Rosette.

Nous admirons.

Rose a les cheveux savamment relevés et crantés, avec quelques petites boucles qui s'échappent sur les côtés et qui me plaisent bien. Ses lèvres sont de la même couleur que sa robe, ce qui me paraît le comble du chic, et ses yeux légèrement maquillés sont encore plus bleus que d'habitude. Sa robe fait des frous-frous quand elle bouge et, en m'approchant, je sens qu'elle s'est parfumée. Pour qui, pourquoi ?

— Notre sœur attend un *huss'n*[1] ce soir, répond Madeleine à mon interrogation muette. N'est-ce pas que, pour une nouvelle, c'en est une ? ! Alors, j'espère que vous allez vous conduire comme des *menschs*[2].

J'accuse franchement le coup. Je sens Maurice frémir à côté de moi. C'est pas possible. Rose que toute la famille appelle Rosette... Ma sœur préférée s'est mise sur son trente et un pour un fiancé ! Regardons les choses en face : c'est une trahison. Je ne peux pas le croire. J'ai presque envie de pleurer.

Rosette me regarde, elle comprend mon chagrin. J'ai de l'eau dans les yeux et, si je veux être tranquille pour les vingt prochaines années, il est impératif que Maurice ne s'en aperçoive pas. Rose, consciente du drame qui se joue, me rassure aussitôt. Elle prend la pose, cambre sa taille et, dans un grand éclat de rire :

— Celui-là, c'est pas moi qui l'ai cherché. Papa a insisté pour que je le voie. Il a bien essayé de lui refiler Madeleine, mais rien à faire. C'est moi qu'il veut. Je vais donc le recevoir en lui disant : « Bonsoir Monsieur le *huss'n*... Si c'est vous qui êtes le *huss'n*, moi, je suis la *Kalée*[3] ».

Elle le répète plusieurs fois, mais je suis sûr que c'est pour cacher son angoisse. C'est pas tous les jours que mon père lui propose un fiancé. Et je trouve d'ailleurs qu'il y est allé un peu fort :

— Alors, c'est Papa qui te l'a présenté ? Et de quoi il se mêle ? Comme si tu ne pouvais pas t'en trouver un toute seule ? Tu ne vas pas te marier avec un type que t'as jamais vu !

Elle rit de bon cœur et s'accroupit devant moi, son bras autour de mes épaules :

— Te fais pas de souci, mon petit Jojo, je ne suis pas encore mariée. C'est juste pour faire plaisir à Papa. Tu sais, il a trois filles !

1. Fiancé, en yiddish.
2. Hommes, en yiddish.
3. Fiancée.

Madeleine est, comme toujours, moins sentimentale :

— Allez, allez, tout ça n'est pas bien grave, après tout, puisque Papa dit que ce garçon est bien, laissons-lui une chance.

On voit bien que ce n'est pas elle, le frère préféré de Rose ! Comment peut-elle comprendre ? Je suis là, perdu dans mes réflexions lorsque, machinalement, je jette un coup d'œil dans le grand miroir de la salle à manger.

Le choc.

C'est pas possible, une tignasse pareille ! Même avec la Gomina, j'ai de nouveau la frange ! J'ai l'air d'une fille qui a les cheveux coupés à la garçonne. J'en oublie Rose, Madeleine et toute la famille. Il y a urgence. Je ne veux pas que ce type que je n'ai jamais vu et qui n'est même pas de la famille me voie mal coiffé. Je fonce dans la salle de bains, m'asperge de ce que je trouve et réapparais quelques secondes plus tard :

— Tu vois, Rosette, j'ai fait un effort. Ton fiancé ne pourra pas dire qu'on est des mal peignés dans la famille.

Elle se marre et m'embrasse :

— Sans vouloir te faire de la peine, mon Jojo, je doute que ta coiffure tienne jusqu'à la fin du dîner !

Le dîner. Bonne remarque. Que nous a préparé Anna ? Direction : la cuisine. Maman est partie dans sa chambre se faire belle, la voie est libre.

Si c'est comme d'habitude, on aura du poulet, et si c'est du poulet, quand arrivera mon tour d'être servi, il ne me restera que le cou qui est toujours pour moi, et ça j'en ai par-dessus la tête. A force, je finis par détester le poulet, qu'il soit rôti ou en bouillon. C'est pas normal, dans cette famille, le plus petit, celui qui doit grandir, est toujours le plus mal servi. Quand je rouspète, que j'essaie de faire entendre ma voix, ils se moquent de moi :

— C'est bien normal, t'es le dernier, t'es servi le dernier.

Aucune pitié. C'est dur de ne pouvoir rien faire. Pourtant, ce soir, ça va changer. Ma décision est prise. Je regarde autour de moi : personne. Rose est partie dans sa chambre pour se refaire une beauté. Maurice fait semblant de faire ses devoirs. Je m'introduis dans la cuisine d'où me parviennent des odeurs délicieuses qui excitent encore mon appétit. Le poulet est là, bien rôti, grillé, juste à point... Il en frémit encore... Mes derniers scrupules cèdent devant cette belle couleur jaune dorée, je commence par le croupion. Depuis le temps que j'en avais envie ! Quel délice ! Ça craque, ça croque sous mes dents... Quelle jouissance ! Comment ai-je pu passer si longtemps à côté du bonheur ? Les vaches ! Je les comprends ! Je sais maintenant pourquoi ils ne me laissent que le cou. Ce soir c'est mon Shabbat à moi, ils vont voir ! Après le croupion, c'est au tour des ailes qui, comme le dit Anna, sont réservées aux filles pour qu'elles s'envolent. Moi, ça ne risque pas de m'arriver. L'Amérique ce sera pour plus tard. J'ai trop à faire ce soir. C'est drôle, plus je mange, plus j'ai faim. Maintenant c'est la cuisse, j'en rêvais !

Soudain j'entends un cri, je me retourne. Maman lève les bras :

— Non, mais qu'est-ce que tu as fait, Yossélé ?

Le flagrant délit. Je vais sûrement prendre une baffe bien méritée. Je respire un grand coup. Je n'ai plus qu'à rester digne et à cacher mon désespoir. Soudain je sens que la colère d'Anna retombe et, miracle, elle me sourit :

— Jojo, je t'en prie, fais-moi plaisir, regarde-toi dans la glace.

Elle me prend par le coude pour m'entraîner vers le petit miroir du couloir. Je me contemple et je comprends tout. Elle a bien raison, ma sœur. Mes cheveux, comme d'habitude, n'ont pas tenu dix minutes et, surtout, je suis couvert de sauce. J'ai un hoquet. Je ris, je ris, de plus en plus fort sans pouvoir m'arrêter. Ce rire me fait mal mais je sais que, si je m'arrête, je vais me mettre à pleurer et qu'un grand garçon de sept ans qui pleure, ça fait trop idiot.

La soirée a été sauvée. Nous sommes tous allés au restaurant mais Rose ne s'est pas engagée ce soir-là. Ce n'est pas ma faute, je crois que le fiancé ne faisait tout bonnement pas l'affaire. A la fin du repas, alors que je dévore déjà des yeux le baba au rhum, j'entends Maman dire, du bout de la table :

— Hélas pour Joseph, il est encore trop jeune pour manger un gâteau à l'alcool. De toute façon, il n'aime pas beaucoup les desserts...

Son regard insistant m'ôte toute envie de protester. Je file un coup de pied sous la table à ce traître de Maurice qui rigole en s'empiffrant de baba. Il va falloir qu'il apprenne à me respecter, parce qu'il y a vraiment des fois où il mérite une raclée. Avec tout ce qu'on a prévu de faire ensemble, il faut qu'il me traite d'égal à égal et qu'il arrête de se payer ma fiole toutes les trente secondes.

C'est vrai que Maurice et moi, on a plein de projets : aller à New York voir les gratte-ciel et la statue de la Liberté, faire fortune et pour moi, peut-être, avec de la chance, devenir célèbre. On a calculé qu'avec cinq mille francs on peut se payer le voyage aller. Evidemment, on n'a pas le retour, ce qui n'est pas vraiment un problème, puisqu'on gagnera tout ce qu'on voudra sur place. Il y a des tas de trucs à faire en Amérique. Mais, quelquefois, je m'angoisse un peu de ne pas savoir quoi exactement :

— Maurice, t'es sûr que là-bas on peut devenir millionnaire ?

— Tu dois me croire, l'Amérique, c'est le pays où il y a le plus de riches... Alors pourquoi pas nous ?

Moi, je ne demande qu'à le croire. Il le sait et c'est pour ça qu'il continue de me faire visiter ce merveilleux pays qu'il n'a jamais vu mais qu'il semble connaître par cœur. Je le laisse parler. L'ex-fiancé est parti. J'ai entendu Rose dire à Madeleine qu'il ne lui plaisait pas. C'est bien fait pour lui.

J'ai trop mangé, je n'ai pas été puni, ma Rosette reste avec nous et Maurice me parle de l'Amérique... Je me laisse aller à son rêve qui devient le mien et je m'endors, peinard.

5

Le samedi, on va à l'école. Je ne comprends pas parce que c'est sabbat et que, normalement, on ne devrait rien faire. Quand je pose la question à Maurice, il se marre :

— De toute façon, sabbat ou pas sabbat, à l'école, je ne fais rien !

Chez nous, c'est comme ça. Mon père dit qu'on est en France dans un pays laïc, et qu'il faut nous plier aux règles de la République. Il dit encore qu'on est juifs, mais qu'il ne faut pas en faire un métier. Et, comme il ne veut pas faire de peine à Maman, il pratique sa religion en respectant seulement les grandes traditions. Il fait sabbat le vendredi soir, mais ça ne l'empêche pas de travailler le samedi. Au fond, je trouve que c'est plutôt bien. Parce que, du coup, on a plein de jours de fête : vendredi et bien sûr dimanche. Au salon d'ailleurs, les deux plus fortes journées sont le samedi et le dimanche matin. On est ouvert six jours sur sept. Le plus drôle, c'est que le samedi, il n'y a pratiquement que des juifs dans le salon.

— C'est normal, commente mon père, puisqu'ils travaillent en semaine. Ils viennent se faire coiffer juste avant d'aller à la *schil*.

Le dimanche, c'est le jour des chrétiens. Ils font pareil, mais eux, c'est juste avant de se rendre à l'église. Notre quartier est formidable. Juste en face de chez nous, il y a un grand café, *Le Clair de Lune*, dont le patron est auvergnat. Juste à côté, il y a un restaurant roumain, *Chez Philippe*. J'adore regarder ce qui s'y passe. Les clients du *Clair de Lune* restent une heure ou deux dans le café à jouer aux cartes ou au jacquet, puis ils viennent chez mon père pour se faire raser ou couper les cheveux. Parfois, ils montent au premier où ils peuvent acheter, pour un prix défiant toute concurrence, des chemises et de somptueuses cravates.

Mon père est un type formidable. Je ne dis pas ça parce que c'est mon père mais, quand je le regarde faire, je l'admire. S'il entreprend un client, qui est aussi très souvent un ami, je me glisse derrière eux, juste pour voir comment ça se passe :

— Regarde ! s'exclame mon père. Regarde ce que j'ai fait rentrer aujourd'hui. Tu es le premier à qui je montre ces merveilles. Tu te rends compte : de la soie ! Tout est en soie, depuis le col jusqu'aux poignets ! Dis-moi un peu si, dans ton shtetl natal, tu imaginais porter une chemise cousue pour un roi ?

L'autre ne répond pas, mon père sort la chemise de son emballage :

— Je ne sais pas si tu es capable d'apprécier !

Discrètement, je regarde. C'est vrai qu'elle en jette, cette chemise. J'ai des regrets. Mon père a tort de la vendre. Elle lui irait très bien. Peut-être n'y a-t-il pas pensé :

— Papa, n'insiste pas... Fais-moi plaisir, garde-la pour toi ! Une si belle chemise...

— Il a de la chance, rétorque mon père en me faisant un large sourire. Elle n'est pas à ma taille. Sinon, tu peux me croire, il n'aurait jamais pu profiter de cette merveille.

Puis il se retourne vers son ami :

— Tiens, tu vois, c'est ton jour de chance. Il y en a deux à tes mesures. Je vais te faire un prix de gros... Je t'ajoute une cravate, pure soie, en prime, parce que c'est toi !

L'autre ne dit rien. Je le regarde d'un peu plus

près... J'essaie de comprendre. C'est vrai qu'il fait le double du poids de mon père. Ce type est énorme. Un éléphant. Il ne peut pas voir ses fesses dans le miroir. Les chemises aussi sont immenses. C'est pour ça qu'elles sont invendables à quelqu'un d'autre et que mon père se démène pour lui refiler. Sur ce coup-là, il a fait très fort. L'affaire se conclut, et le type sort avec ses paquets, l'air plutôt satisfait. Je m'informe :

— Dis-moi, Papa, c'est quoi un prix de gros ? C'est quand on pèse beaucoup de kilos ?

De toute façon, ce n'est pas logique : ce type étant obèse, cette chemise devrait coûter le double du prix.

Tout le monde rit dans le salon quand mon père leur répète. Je déteste qu'on se moque de moi. Puisque personne ne veut m'expliquer ce qu'il y a de drôle, je sors faire un tour.

6

J'entre *Chez Philippe*. C'est noir de monde. Il y a même la Mimé Fegué. C'est la grand-mère de Blanche. Je la vois qui vient vers moi comme je m'assieds près de sa petite-fille sur la banquette. Elle se balade dans tout le quartier avec un grand panier d'osier plein de bonnes choses. Des beguelès, des vatriochkas, des strudels aux pommes. Blanche travaille dur des mâchoires. Elle engloutit son gâteau avec férocité. Sa grand-mère m'en propose un que j'accepte volontiers. Je remercie et j'explique à Blanche :

— Ça tombe bien, je meurs de faim !

La mémé fait semblant de ne pas comprendre le français. Pourtant, elle pige parfaitement ce que je lui dis. Elle me sourit :

— *Lij men gluck. Le mar nicht. Zol dir veuil baquimen*[1].

C'est plutôt gentil, parce que la Mimé, elle les vend, ses gâteaux. Pour elle, je représente une perte sèche ! On se regarde, Blanche et moi. Elle demande à sa grand-mère :

— Peut-être que, pour le même prix, on peut avoir deux chocolats au lait ?

Gonflée.

Il fallait oser le tenter.

Soyons honnête, ma fiancée ne manque pas de souffle. Elle a raison, c'est le seul moyen d'obtenir quelque chose. Un jour, moi aussi, il faudra que j'ose demander la main de Blanche à ses parents. Heureusement, j'ai encore un peu de temps pour me préparer.

La Mimé n'a rien répondu mais, cinq minutes plus tard, Tombel, le serveur, nous apporte sur un plateau deux chocolats bien chauds comme je les aime.

Elle est chouette, Blanche. C'est la fille de Rarmille, le mari de Sonia. Ce sont des amis de la famille... Surtout Rarmille. Mon père se moque toujours de lui :

— Rarmille, tu sais faire que des filles... Applique-toi ! Fais des gars, c'est bien dans une famille.

Rarmille ne se laisse pas faire. Il n'a que des filles, mais elles sont sérieuses, alors il en est fier, et il a bien raison. Il répond à mon père, sur le même ton :

— Il faut bien des filles pour épouser tes garçons !

Moi, j'ai l'impression qu'il a percé mon secret et qu'il devine qu'un jour, Blanche et moi, on se mariera. Maurice, lui, ne s'en doute pas.

Blanche non plus.

Un jour il faudra bien que j'aille jusqu'au bout, que je lui dise tout.

Pas à Maurice, à Blanche.

Je me demande pourquoi ses parents l'ont appelée Blanche. Peut-être à cause de son teint pâle qui

1. C'est ma chance. Ça ne fait rien, bon appétit ! en yiddish.

ressort si joliment sous ses longs cheveux bruns. C'est une fille différente des autres filles, même s'il faut reconnaître que je n'en connais pas beaucoup.

Aujourd'hui, nous goûtons avec elle à la maison. Il fait déjà presque nuit, parce qu'en ce moment le jour part vite. Papa a allumé du feu dans la cheminée et Esther écoute de la musique à la TSF. D'un coup, Blanche se met pieds nus sur le marbre. Elle dénoue le foulard qu'elle porte pour ne pas s'enrhumer et le passe autour de sa taille en balançant doucement ses hanches. Elle commence à danser devant le feu, les bras levés comme une petite Gitane. Elle est si belle ! J'ai l'impression que tout le monde entend mon cœur battre dans ma poitrine. On dirait qu'elle a tout oublié autour d'elle. Elle bouge lentement, comme si elle cherchait son rythme pour s'accorder complètement à la musique d'Esther. Elle veut devenir danseuse et je sais qu'elle s'entraîne beaucoup. Elle suit même des cours pour ça. J'avais vu des tas de gens danser dans des bals ou pour des fêtes. Mais, aujourd'hui, c'est comme une magie. Même Maurice est baba. Derrière elle, son ombre la suit sur le mur de la salle à manger. Quand la musique se termine, elle remet ses souliers, comme si de rien n'était. Maurice ne fait aucun commentaire, ce qui veut tout dire, et moi je suis bien trop ému. Si j'ouvre la bouche, je vais bégayer. C'est simple, dès que je l'aperçois, j'ai une boule dans la gorge. Et pourtant j'ai besoin de lui parler, d'être assis à côté d'elle...

Comme par hasard, en rentrant de l'école, je tombe souvent sur elle. On fait un petit bout de chemin ensemble. Cette fois, j'oublie de prendre l'air surpris. Je lui propose :

— Blanche, tu veux venir avec moi jusqu'au pont Marcadet ?

Elle ne me demande pas pourquoi. On y va sans rien dire, et on s'assoit sur un banc pour regarder passer les trains. Rien que d'être à côté d'elle, ça me fait chaud partout. Il passe un train toutes les dix minutes et, chaque fois, j'ai l'impression de partir en voyage. Un peu comme si c'était déjà l'Amérique. J'adore partager ce rêve avec Blanche :

— Quand on partira, c'est peut-être un de ces trains qu'on prendra...

Elle ne veut pas me contrarier :

— Oui... oui... peut-être.

Elle a déjà oublié qu'elle a promis... Elle a l'air ailleurs. Je suis sûr qu'elle se voit déjà à Broadway. C'est insupportable... Je suis d'avance très jaloux de son succès. Certainement, elle ne me trouve plus assez bien pour elle. Alors, quand elle aura l'Amérique entière à ses pieds... Bon, j'arrête de m'affoler ! Je respire. Peut-être qu'elle a la frousse aussi. Si c'est ça, faut que je la rassure. C'est notre rôle à nous de protéger les femmes :

— A New York, tu seras sûrement une grande vedette, mais moi, je serai millionnaire. Alors on ne se quittera pas.

Elle ferme les yeux pour répondre :

— Ça n'a pas d'importance que tu sois millionnaire ou pas... Je vais t'apprendre à danser et tu seras mon Fred Astaire.

Ça, je ne l'avais pas prévu. Je suis plutôt d'accord pour qu'elle m'idéalise un peu mais, là, j'ai peur qu'elle y aille fort. Les poules auront des dents quand elle parviendra à faire de moi un pantin comme Fred Astaire. Enfin, il faut reconnaître qu'il a de la classe et que je suis bien sûr prêt à tout pour faire plaisir à Blanche. Mais j'ai bien peur que notre amour n'y résiste pas. Si j'accepte d'aller voir ce grand type aux jambes de caoutchouc qui se tordent dans tous les sens, c'est juste pour être agréable à Blanche, elle est tellement ravie. Alors, on alterne Fred Astaire et Tom Mix.

C'est ça, l'amour.

On rentre en se tenant par la main. Je suis heureux, ce n'est pas la première fois, mais j'ai toujours peur qu'elle ne veuille plus. Je m'én fiche si j'ai l'air d'un idiot. En fait, j'ai de la chance d'être un homme... Si les copains me voyaient, ils baveraient de jalousie. C'est presque comme si on partait en voyage avec Blanche, lorsqu'on tombe nez à nez avec Aaron. Pas de veine. C'est bien lui qui s'approche, cherchant à troubler notre intimité. Je suis à peu près certain qu'il a des visées sur ma fiancée. Il faudrait qu'il sache qu'elle est déjà engagée ailleurs mais, pour ça, il faudrait déjà que je le dise à Blanche, et ça, c'est plus délicat. Aaron se plante devant moi. Je ne tiens plus à discuter avec lui depuis qu'il nous a dit que son père ne voulait pas qu'il nous fréquente. Il paraît que nous sommes soi-disant, Maurice et moi, de « petits chenapans ». Je me suis fait expliquer par Henri ce que cela veut dire. En tout cas, ça nous fait bien rigoler, parce que nous, on lui court pas après. C'est plutôt lui qui joue les pots de colle. C'est vrai qu'il est seul, qu'il n'a ni frère ni sœur. Il doit s'ennuyer. Personne avec qui se disputer, c'est pas marrant. Alors, on lui pardonne. J'essaie d'être aimable, à cause de Blanche :

— Tiens, Aaron, qu'est-ce que tu fais là ? A cette heure-ci, tu devrais être en train de travailler dans la boutique de ton père.

— Non, il n'a plus besoin de moi. Comme j'ai fini mes devoirs, je me promène. Tu sais où est ton frère ? J'ai un truc à lui dire...

Il a bien de la veine d'avoir fini ses devoirs. Maurice et moi, on n'est jamais pressés de les faire ! Mais il est vraiment incroyable, cet Aaron ! Quel sale menteur ! Je sais très bien que ce n'est pas à Maurice qu'il veut parler, mais à Blanche. Je fais semblant de ne rien avoir entendu. J'ai très envie de partir en courant.

Surtout pas. J'aurais tout faux. Je ne dois pas entrer dans son jeu. Ni le laisser en tête à tête avec Blanche. Idée :

— Maurice ? Parti au square Clignancourt.

Toc.

Qu'il aille se balader, ça nous fera des vacances. Mais le diable et le bon Dieu ne sont pas avec moi. Blanche me regarde, surprise :

— Ben, pourquoi tu dis ça ? Maurice va sûrement venir ! Quand tu es là, il n'est jamais bien loin, n'est-ce pas Jojo ?

Ben voyons.

Observatrice, la petite Blanche, avec son air de pas y toucher. C'est vrai, quand je suis quelque part, Maurice n'est jamais très loin. En fait, ça m'agace qu'elle s'en soit aperçue. Au fond, pour notre avenir, c'est plutôt bien qu'elle soit honnête mais, dans le cas présent, ça n'arrange pas mes affaires...

Ne nous laissons pas abattre :

— Ça se pourrait bien... Mais je suis pas sûr qu'il vienne. Il a dit qu'il allait jouer au square avec Jeannot.

Et je n'ai pas fini ma phrase que coucou, qui voilà ? Maurice suivi de Jeannot et d'un troisième copain. Le destin. On ne peut pas ne pas y croire devant des choses pareilles. Fini notre après-midi romantique. On n'est même pas encore célèbres qu'on n'a déjà plus un quart d'heure de tranquillité ! En tournant la tête, j'aperçois un point bleu marine qui remorque un petit point gris : Marcel et Samy ont déboulé tout au bout du boulevard. La bande au grand complet. L'après-midi va prendre une autre tournure.

7

A l'unanimité moins une voix, celle de Samy qui n'a pas pu lever sa main, nous décidons d'aller flâner chez la mère Epstein, la grand-mère de Marcel qui tient une brocante. On y trouve de tout. Il n'y a jamais grand monde, et il est plein de choses qui font rêver. Ça va des poupées de porcelaine aux vieilles machines à coudre, des fers à repasser vieux-vieux-vieux qui s'entassent avec des moulins à café préhistoriques. J'aperçois, dans tout le fouillis, une locomotive électrique. Je ne l'avais pas vue la dernière fois qu'on est venu. C'est ça qui est génial ! Ça change à chaque fois. Le magasin de la grand-mère de Marcel, c'est comme un glacier. Pas celui des cornets à la vanille, celui des montagnes et des livres de géographie. Y'a des tas de trucs qui sont enfouis dedans et qui remontent un beau jour à la surface, on ne sait pas pourquoi. La loco, elle doit être là depuis un siècle, mais elle vient juste de nous le faire savoir. J'actionne le petit levier et la voilà qui commence à tourner. Ça a l'air de l'épater, la mémé. Elle pensait sûrement que son train était fichu. En général, j'ai pas mal de crédit auprès des grand-mères de mes copains, si je pense à celle de Blanche qui est toujours sympa avec moi, mais là, j'ai vraiment l'impression de gagner des points !

D'un coup, je sursaute. Comme si elles s'étaient donné le mot, les deux horloges du magasin se mettent à sonner en même temps. C'est dingue : juste au moment où la loco remarche ! Il n'en faut pas plus pour que mémé Epstein y voie le doigt de Dieu :

— *Siz bachert*[1], nous dit-elle en levant les yeux vers le ciel.

Si elle y voit un signe du ciel, ça veut dire que la loco devient invendable. On ne se sépare pas d'un objet sacré. Au fond, c'est bon pour nous : on pourra revenir jouer avec. J'en suis à ce genre de considération lorsque Aaron nous annonce qu'il a une combine géniale et qu'il nous prépare une surprise pour demain. Maurice n'aime pas tellement les surprises, surtout quand c'est pas lui qui les fait. Méfiant, il se renseigne :

— Qu'est-ce que tu nous réserves ?

— Si je comprends bien, s'indigne Aaron, tu n'as pas confiance en moi. Puisque tu préfères ne

1. C'est un signe du destin !

rien faire et t'ennuyer demain comme tous les dimanches, tant pis...

— Bon, vas-y, s'agace Maurice, abrège. C'est quoi ton idée ?

Devant le regard soupçonneux de mon cher frère, Aaron semble déjà moins sûr de sa combine. Il hésite. Blanche intervient :

— Alors, Aaron, dis-nous ! C'est peut-être une très bonne idée...

Ça m'énerve un peu, cette confiance qu'elle lui accorde. Il vaut mieux parfois être plus réservé. Moi, à la place de Blanche, j'attendrais de voir... L'encouragement de ma fiancée lui redonne de l'assurance :

— Voilà. Je sais par le fils Dubois, celui qui est assis à côté de moi à l'école, que pour Noël le curé de l'église Jules-Joffrin organise une grande fête pour tous ceux qui vont au catéchisme. Dubois m'a dit que, si je veux, je peux venir avec des amis. Il y aura des cadeaux, des gâteaux, des jeux, enfin, tout, quoi !

Marcel tire sur sa veste, renifle, et lâche :

— Je me méfie, si ça se trouve, y aura du jambon pas casher. Et ma mère, elle ne veut pas que je mange du porc.

Maurice sursaute :

— Et où t'as vu manger du jambon casher, toi ? Ça n'existe pas !

— Si, ça existe ! Ma mère, elle en achète chez Goldenberg !

— C'est pas du vrai jambon, Marcel, c'est de la viande de bœuf, tu peux me croire !

Si c'est Maurice qui le dit, ça ne se discute pas. D'ailleurs, là n'est pas le problème. Ce qui est important, c'est de savoir si l'idée d'aller tous au patronage nous convient. C'est vrai que le dimanche, on n'a vraiment pas grand-chose à faire... Alors, aller à la fête du curé ou traîner au marché aux puces toute la journée...

Maurice, pour une fois, semble indécis. Il se tourne vers moi :

— Dis-moi, Jojo, qu'est-ce que t'en penses, ça te

dit d'aller faire un tour au patronage ? On peut risquer le coup...

C'est vrai qu'on est un peu méfiants. Il est quand même incroyable, Aaron ! Le vendredi, il nous emmène à la *schil* et le dimanche chez les curetons. En fait, ça fait comme au salon : le samedi, c'est les juifs qui se font couper les tifs et le dimanche, c'est les cathos. Je trouve ça plutôt marrant. Devant mon silence, Maurice insiste :

— Alors, Jojo, t'en penses quoi ?

— Ben, moi je suis pas contre, sauf qu'Aaron dit que c'est pour ceux qui vont au caté... Et nous, on n'y va pas... Tu crois qu'ils vont nous laisser entrer ?

C'est Blanche qui répond :

— Moi je dis : qui ne risque rien n'a rien. Au pire, on nous refusera l'entrée, et alors ? S'ils ne veulent pas de nous, on ira se balader sur la Butte... C'est pas mal non plus. Mais s'ils nous acceptent, ça nous changera un peu, après tout.

Ça, c'est une femme ! Fidèle à son principe : il faut oser.

L'affaire étant entendue, on se sépare en imaginant que demain sera peut-être un dimanche différent des autres...

8

A neuf heures précises, on est tous au point de rencontre que nous a fixé Aaron. La petite bande est au complet. Blanche est plus mignonne que jamais, avec son petit bonnet assorti au manteau vert dans lequel elle semble se geler. C'est vrai qu'il fait vraiment froid, ce matin.

Gros effort vestimentaire pour tout le monde. Mais je dois dire qu'à part Blanche, qui est jolie comme tout, on a tous l'air plus ou moins déguisés. Maurice dans son costume à culotte de golf, il faut avoir vu ça une fois dans sa vie. On dirait un lord anglais. Moi, je n'ai pas voulu mettre de manteau. J'ai emprunté un pull-over rouge à mon frère Albert, mais je sais maintenant que j'ai eu tort : il descend en tire-bouchonnant jusqu'à mes genoux. Ma mère, en plus, m'a affublé d'une casquette que je n'aime pas, même si elle me vieillit. Marcel a mis un pull gris sous sa veste bleu marine et Samy le pull que Marcel portait hier, ce qui a dû leur donner l'impression d'en faire un maximum. Il en tiendrait à peu près deux comme lui dans ce pull déjà trop grand pour son frère, mais Samy s'en fiche : on lui a promis des gâteaux et des jouets, et c'est tout ce qui l'intéresse. Peut-être va-t-il trouver un compagnon à son ours en peluche qu'il ne quitte plus depuis la fête. Je regarde les autres. Finalement, s'il y en a un qui émerge du lot, c'est Dubois. Avec un col blanc amidonné sur son manteau bleu marine où brillent des boutons dorés, on le croirait descendu d'un cadre. Conclusion : on aura du mal à passer inaperçus.

Qu'importe, nous voilà partis. En chemin, au carrefour Simart-Marcadet-Clignancourt, on croise un clochard. Un type du quartier avec lequel je suis devenu ami.

Espérance, c'est son nom. Tout le monde l'appelle comme ça dans notre rue. Je trouve que c'est un beau nom, pour un clochard. C'est vrai, quand un homme n'a rien, qu'il a tout perdu, il ne lui reste que l'espérance, et ça, au moins, personne ne peut lui prendre. Il doit le savoir, parce qu'il a toujours le sourire. Un jour, on a parlé ensemble, il m'a dit :

— Tu vois, mon petit gars, au point où j'en suis... ça ne peut pas être pire. Je n'ai plus de soucis à me faire, ma situation ne peut que s'améliorer.

J'étais pas tout à fait d'accord avec lui :

— Tu as tort de penser cela, tu sais, ça peut toujours être pire.

Il ne m'a pas laissé terminer ma phrase :

— Jojo, tu es encore un peu jeune, mais plus tard, tu liras les grands philosophes...

Je l'interromps :

— Espérance, tu les as lus, toi, les grands philosophes ? Dis donc, t'es fort ! Explique-moi : c'est eux qui t'ont conseillé de vivre comme ça ?

— Non, non, ce ne sont pas les philosophes qui m'ont mis dans cet état. Mais ce sont eux qui m'aident encore aujourd'hui à supporter ce que je suis devenu.

Je suis encore en train de réfléchir à ce qu'il vient de dire lorsqu'il ajoute :

— Enfin, tu sais dans le quartier, ils ne m'appellent pas Espérance sans raison. Moi je sais très bien que, tant qu'il y a de la vie, il y a de l'espoir. Alors comme je ne suis pas encore mort... Peut-être qu'un jour, ça changera...

Depuis, en rentrant de l'école, quand j'ai un moment, je m'arrête auprès d'Espérance et nous échangeons quelques mots. Mais aujourd'hui, je n'ai pas le temps. Je passe en lui faisant un petit signe d'amitié. Aaron, qui s'imagine être drôle, balance :

— Espérance, si tu lâches le bec de gaz, c'est toi ou lui qui s'écroule ?

Espérance ne répond pas. C'est peut-être ça, la philosophie. Ne pas répliquer, ne pas parler pour ne rien dire.

— Vous avez vu, fait Aaron en ricanant, il n'a même pas répondu !

Qu'aurait-il pu répondre ? Aaron est bien le seul à rire. Il m'agace :

— Il a raison de s'appuyer sur le bec de gaz, si ça lui fait plaisir... En quoi ça te dérange ? Il te parle pas, fiche-lui la paix !

Apparemment, Aaron ne veut pas envenimer les choses, même s'il n'apprécie pas ma façon de lui parler. Il me sourit :

— Jojo, c'est dimanche, on ne va tout de même pas se disputer pour un clochard ?

Quel faux jeton, cet Aaron ! Pour un peu, il allait dire :

— C'est dimanche, le jour du Seigneur !

— Dis-moi, Aaron, Espérance, c'est pas un homme comme les autres ? C'est parce qu'il est pauvre que tu te moques de lui ?

Il me regarde, ne sachant plus que dire. Il a l'air ballot, emmitouflé dans sa cape noire avec son sourire niais ! Son copain Dubois vole à son secours. Celui-là aussi, il m'agace. Mais il a au moins une grande qualité : il est discret et n'embête personne. Il pose sa main sur mon bras :

— Allez... faut pas te fâcher... on est parti pour s'amuser !

Il a sûrement raison. Et je n'ai pas l'intention de gâcher la journée. Je repars, avec unc petite pointe de regret, en pensant à mon copain Espérance. Je me demande si le dimanche est pour lui un jour différent des autres. Va-t-il trouver quelqu'un à qui parler ? J'essaierai de retourner le voir très vite. Il a des tas de trucs à m'apprendre sur tous les grands philosophes.

On arrive devant l'église mais on la contourne pour entrer dans le presbytère. C'est chouette : les tables croulent sous des montagnes de jouets. A côté, des tas de gâteaux ! des tartes aux pommes, des éclairs au café et au chocolat et, bien sûr, des religieuses pleines de crème. Un peu plus loin, des bouteilles de jus de fruits sont ouvertes près des verres. On croise des bonnes sœurs en robes bleues, chapeautées de curieuses cornettes blanches tout amidonnées. On dirait les Bretonnes que l'on voit en réclame sur les boîtes de galettes Saint-Michel. Derrière les tables, des scouts ont l'air tout prêts à se dévouer pour défendre les gâteaux jusqu'à la mort. Cela amuse beaucoup Maurice :

— Ils sont marrants ceux-là... Vise un peu ce qu'ils ont mis au-dessus de la porte : « Toujours prêts ». Moi, je veux bien, mais prêts à quoi ?

C'est Dubois qui répond. Il n'apprécie pas que l'on se moque de ses copains :

— Ce qu'ils veulent dire, c'est « prêts à faire une bonne action ». Ce sont des scouts et moi je suis louveteau. Un jour, je serai comme eux. Je ne vois pas ce qu'il y a de drôle !

— Ouais, fait Maurice, sceptique, ça reste à voir.

C'est tout vu.

Je viens de repérer sur une table un flan lyonnais très appétissant, présenté à côté d'un énorme millefeuille recouvert de sucre glace. J'en salive déjà. A l'autre bout de la salle, des garçons et des filles bavardent, installés sur des bancs bien rangés les uns derrière les autres. Dubois et Aaron nous font signe de les suivre. Dubois nous prévient :

— Surtout, faites attention. Il ne faut pas se faire remarquer.

Pas facile. Sept personnes dont une fille plutôt jolie, dur de passer inaperçus ! On reconnaît le sens de l'organisation d'Aaron. Avec Maurice, c'est parfois plus gonflé, mais c'est toujours plus étudié. Il est malin mon frère. Avec lui, on serait rentrés un par un, le tour était joué. Maintenant c'est fait, il est trop tard, et je sens peser sur notre petite bande le regard soupçonneux d'un grand scout affublé d'une espèce de chapeau de cow-boy. Il a des boutons plein la figure et sa culotte trop courte a bien du mal à contenir ses cuisses roses et trop dodues. Il a sûrement mal aux pieds. En venant jusqu'à nous, il fait craquer ses godasses. C'est sûr, il nous a repérés. C'est à moi qu'il s'adresse. Peut-être parce que mon pull est rouge.

— Dis-moi, toi, c'est la première fois que je te vois ! Tu cs de quelle section ?

Fort heureusement, je me souviens de ce qu'a dit le rabbin, l'autre jour quand il parlait d'un prophète, je ne sais plus très bien lequel. Je réponds avec sang-froid :

— Ne me pose pas de questions... Je ne te dirai pas

de mensonges... Mentir est un péché en cette veille de Noël.

Il accuse le coup, mais je vois bien que ça le rend furieux. Il tourne les talons sans un mot. Je devine qu'on ne va pas en rester là. Maurice et Aaron qui ont suivi la scène de loin arrivent vers moi :

— Qu'est-ce qui se passe ? Qu'est-ce qu'il voulait ce mec ?

Je ne veux pas les affoler. Minimisons :

— Rien... rien, il cherche sa place. Il a du mal à s'y retrouver, il doit être tout neuf dans la maison.

Ils ont l'air de marcher. Je continue à surveiller le scout du coin de l'œil. Ce mec m'inquiète. Je le vois maintenant se diriger en boitillant vers un type qui porte un drôle de chapeau de gendarme d'une autre époque et qui, dans la main gauche, tient une espèce de grande hache. Je frissonne, est-ce qu'il a l'habitude de se servir de ce machin ? Et si c'était pour découper en morceaux les petits resquilleurs de notre espèce ? D'un seul coup, j'ai conscience qu'on est juifs, et que c'est ça qui fait la différence. L'autre jour, j'étais par hasard devant l'épicerie de la rue Marcadet. Un type faisait du scandale ; avec deux copains derrière lui qui n'en menaient pas large. Il hurlait :

— Partout où l'on passe dans ce quartier, il n'y a que des boutiques de juifs ! Ces sales juifs qui viennent manger le pain des Français !

Les gens se sont arrêtés. Certains ont paru étonnés, d'autres ont crié aussi fort que lui. Je me sentais coupable. Et si c'était vrai que les juifs mangent le pain des autres ? Je suis parti me planquer chez Hoffman, le marchand de vaisselle qui, du coup, était en train de fermer ses volets :

— Rentre Jojo, m'a-t-il dit, on ne sait jamais comment ce genre de manifestations peut tourner. Ça commence par une émeute et ça finit en pogrom.

Il avait l'air drôlement préoccupé, monsieur Hoffman. C'est un ami de mon père et je l'aime beaucoup. Son magasin est juste en face de notre salon de coiffure. En plus, il est très courageux. Dès qu'il a eu fini de ranger ses étalages de vaisselle, il est sorti accompagné de ses deux grands chiens bergers allemands. Il dit toujours : « Les Boches, c'est ce qu'ils ont fait de mieux ! »

J'ai vu la scène à travers la vitre. C'est impressionnant. Dès qu'il est arrivé avec ses deux clebs, les révolutionnaires se sont tirés sans demander leur reste. Il fallait les voir, les courageux... Ils couraient encore plus vite que leurs godasses. Quand monsieur Hoffman est revenu, il avait un grand sourire aux lèvres :

— On ne va pas tout de même laisser recommencer les mêmes misères qu'au shtetl ! Ici c'est la France ! C'est le pays des Droits de l'Homme !

C'est cette phrase qui me revient quand je regarde le scout. Monsieur Hoffman a raison. Je n'ai pas de soucis à me faire. Puisque nous tous ici on est des hommes... ou presque, ça signifie qu'on a des droits ! Il faut y croire pour attendre sans trembler le type à la hache qui arrive vers moi, accompagné du scout. Il est vraiment énorme, ce type. Habillé comme un soldat de plomb, il m'impressionne. Décidément, on m'en veut. C'est aussi à moi qu'il s'adresse :

— D'où venez-vous ? Je ne vous ai jamais vus au catéchisme... Qui vous a autorisés à venir ? Vous n'êtes pas invités... Naturellement, vous ne répondez pas... Je vais prévenir monsieur le curé. Déguerpissez ! On n'a pas besoin de vous ici !

Pour un peu, il allait ajouter : « Vous venez voler le Noël des petits chrétiens ! »

Il essaie de pousser Maurice dehors. Je n'aime pas ça du tout. Même si je suis le plus petit, faut pas qu'on touche à mon frère. Je me mets à hurler. Le type ne s'attendait pas à ça. Dans la salle tous les regards se tournent vers Maurice et moi. La bande a le temps de se disperser aux quatre coins de la salle. Seuls contre tous, avec mon frère, nous faisons face. Le scout essaie de m'empoigner par le cou. Je ne me laisse pas faire et appuie de tout mon poids sur son pied gauche. Il pousse un hurlement de douleur. Je ne me suis pas trompé. Ses pompes ne sont pas à sa taille. Je récidive. Juste au moment où je parviens à me libérer, je tombe nez à nez sur un homme en grande robe noire.

Ça ne doit pas être n'importe qui. Ils s'écartent tous devant lui, et comme par miracle il n'y a plus un bruit dans la salle. Figés, on attend le verdict. Je regarde cet homme droit dans les yeux. Lui aussi. Il nous examine des pieds à la tête, puis se penche vers nous et parle avec douceur :

— Alors les enfants, que se passe-t-il ? Vous n'êtes pas contents ? On n'entend que vous !

L'homme au chapeau de gendarme ne nous laisse pas le temps de nous expliquer :

— Monsieur le curé, ils sont toute une bande de petits chenapans. Ils ne sont pas de la paroisse. Et le plus petit des deux est un vrai sauvage. Il m'a marché sur les pieds et m'a donné un coup de poing dans le ventre.

Rapporteur, va. Et puis, c'est même pas vrai !

Moche et cafteur. Tout pour lui.

Monsieur le curé ne doit pas aimer les mouchards. Un large et bon sourire illumine son visage. Il veut en savoir un peu plus. Il poursuit très gentiment son interrogatoire :

— Alors, dites-moi tout. Où se trouve le reste de la bande ? De quelle paroisse êtes-vous ? Parlez, il ne faut pas avoir peur !...

Je regarde autour de moi. Ses dernières paroles ont sûrement rassuré les copains. Je les vois qui, discrètement, se rapprochent. Maurice reprend :

— M'sieur, je vais tout vous dire. Vous, vous n'êtes pas comme ceux-là, fait-il en désignant le scout et l'homme à la hache. Je vois bien qu'avec vous, on peut s'expliquer. Lui, c'est Jo, mon petit frère. Et lui, c'est Aaron. Voilà Marcel, et aussi Samy. Elle, c'est Blanche. On est juifs et vendredi soir, c'était Hanoucah. Alors, on a fait un marché avec nos copains cathos. On les a emmenés à la fête de la synagogue et pour la peine, eux, ils nous font découvrir le patronage. Vous voyez, c'est tout simple. On fait juste un échange de fêtes. On ne fait rien de mal !

Le silence est revenu dans la salle. Maurice a tout dit sans reprendre son souffle. Nous sommes tous autour de lui, Dubois, Marcel, Blanche, Samy et les autres. L'angoisse se lit sur nos visages. Que va faire le curé ?

Il nous regarde tous avec un très beau sourire et, sans l'ombre d'une hésitation, il dit bien fort :

— Mais c'est très bien tout ça !... Un échange de fêtes ! C'est une très belle idée ! Vous ne le savez peut-être pas, mais Jésus a dit : « Laissez venir à moi les petits enfants. » Nous célébrons aujourd'hui sa naissance. Soyez les bienvenus parmi nous. Vous êtes nos invités.

Je regarde avec admiration ce curé qui sait régler un conflit en quelques mots. Le scout et son copain s'en vont déconfits, sûrement déçus de nous voir rester dans la place.

Nous sommes aujourd'hui comme presque tous les enfants de France : nous fêtons Noël. Le curé fait un discours. Il parle de paix, de joie et de bonheur... à peu près les mêmes trucs que le rabbin. Nous écoutons sagement. Il conclut avec un grand sourire :

— Merci à vous tous d'être venus si nombreux, en ce jour de Noël et que la fête commence !

Sur l'estrade, à droite, la grande crèche est illuminée. Il y a Joseph et Marie, l'âne et le bœuf, un ciel avec des étoiles qui scintillent et de la mousse qui sent les champignons. On vient de déposer le petit Jésus, et j'ai entendu un type dire que les trois personnages en dehors étaient les rois mages, mais qu'ils n'étaient pas encore arrivés. Finalement ça peut être sympa dans toutes les religions.

Enfin, on a droit au grand buffet avec de la bouffe à volonté. Pendant que j'engouffre mon deuxième éclair au chocolat, j'entends deux petits types qui discutent. Il paraît que l'année prochaine, il y aura une crèche vivante. Au début, je comprends pas très bien de quoi il s'agit et puis je pige : les enfants du catéchisme se déguisent comme les personnages de la crèche. Ça doit être très rigolo. Bien sûr, comme on est juifs, on sera pas choisis, ce qui est idiot, parce que Joseph, Marie, Jésus, c'étaient tous des juifs comme nous. C'est un peu bizarre de prendre des cathos pour mimer des juifs. Mais bon, au fond, tous les enfants se ressemblent, juifs ou pas.

Justement, c'est dommage. J'imagine Blanche en Vierge Marie, elle aurait été drôlement bien, en robe bleu ciel avec un grand voile blanc... Moi, bien sûr, j'aurais fait Joseph. Samy est petit, mais plus assez pour être Jésus. En plus, il ne veut plus quitter son nounours, et je doute fort que Jésus en ait eu pour sa naissance, même si, à ce qu'on m'a dit, il a reçu des tas de cadeaux.

Pour l'âne, on avait sous la main ce grand imbécile d'Aaron. Je me marre tout seul en pensant à la tête qu'il aurait faite !

Mais revenons aux choses sérieuses : si je laisse faire, il n'y aura bientôt plus de flan lyonnais.

Direction : le bout du buffet, à toute vapeur.

Après le flan, c'est la fameuse bûche de Noel. Un délice plein de crème.

Je sens que je vais éclater !

Idéal : personne pour me dire que ce genre de truc, ça peut rendre malade.

Dubois me regarde m'empiffrer :

— Alors, Jojo, tu ne regrettes pas d'être venu ? On bouffe bien chez les *goyim*[1] ! Quand je penses que tu hésitais à venir ! Qu'est-ce que tu t'es mis dans le lampion ! En plus, tu ne vas pas repartir les mains vides !

D'un geste, il désigne un amoncellement de jouets.

— Tu avais raison, Hippolyte, c'est très sympa. Je ne regrette pas d'être venu.

Maurice s'approche :

— Tu ne regrettes pas d'avoir raté les trains qui sont passés cet après-midi ?

Il se tourne vers Dubois en rigolant :

— Tu sais, Hippo, mon petit Jojo, pour son âge, il

1. Non juifs.

est très en avance ! Je te le dis, moi. Monsieur a une fiancée. Et il l'emmène regarder passer les trains ! Alors c'est peut-être pour ça qu'il hésitait à suivre son grand frère !

Il se marre, cette andouille, visiblement content de lui. Je ne vais pas lui donner le plaisir de voir que ça m'énerve :

— Evidemment, Maurice, toi tu es toujours libre, puisque tu ne t'es pas encore trouvé de fiancée...

Toc, toc, toc et retoc.

Décomposé, le frangin.

La distribution des jouets venant de commencer, je m'éloigne, mais sans précipitation pour ne pas lui donner de fausses idées. Pourtant, pour les jouets, faut pas traîner. A ce jeu-là, tous ceux de la bande sont imbattables. Seuls Dubois et Aaron n'ont pas l'air intéressé. Peut-être en ont-ils chez eux plus qu'il n'en faut. Dubois pose son bras sur l'épaule d'Aaron :

— Laisse-les faire... Ils ne savent pas qu'il est écrit dans la Bible : « Les premiers seront les derniers... »

Il en sait, des choses... C'est plutôt bon pour l'avenir de Maurice, puisqu'à l'école, il est toujours dernier. Mais à la place d'Hippolyte qui rafle toujours tous les prix, je me ferais du souci...

Tout ceci est sans grande importance. Comme a dit l'autre jour quelqu'un au salon : « Tout ce qui est écrit dans la Bible n'est pas parole d'Evangile ! » Ça doit vouloir dire qu'il ne faut pas forcément en tenir compte.

9

Pour la nouvelle année, mes parents ont fait la fête. Ils sont allés au Mikado. Je ne suis pas certain que ma mère y ait passé une excellente soirée. Quand ils sont rentrés, elle n'avait pas l'air de très bonne humeur. Le Mikado, pourtant, tout le monde en parle dans le quartier. Au sous-sol, il y a un dancing. Ma sœur Madeleine dit que c'est super pour danser le tango. On se demande pourquoi mon père y a emmené ma mère parce que lui, question danse, c'est un peu léger. Faut croire qu'il avait vraiment envie de lui faire plaisir... Enfin, à ce qu'il paraît, au rez-de-chaussée, il y a un grand restaurant et juste au-dessus, une salle de jeu.

Dès que j'ai vu Anna, j'ai compris que cette soirée n'avait pas été exactement ce qu'elle avait souhaité. Mon père, lui, n'a jamais paru aussi en forme :

— Vous rendez-vous compte, les enfants ? Cette nuit, j'ai joué et j'ai gagné. Dieu était avec moi...

Anna ne le laisse pas terminer :

— Dieu ? Quand ça t'arrange ! Le Diable, oui !...

— Dieu ou le Diable, qu'est-ce que ça change, puisque le Diable est aussi une créature de Dieu... Ce qui est important, c'est que je vais pouvoir vous acheter une maison de campagne. Justement, il y a un terrain à vendre juste à côté de celui de Woulfov. C'est formidable ! Je vais y aller le plus vite possible !

Maman le regarde, sceptique et résignée. Ce ne serait pas la première fois que Papa oublierait ses bonnes résolutions. A tous les coups, dans les prochains jours, les cinq mille francs qu'il a gagnés dans la nuit de la Saint-Sylvestre vont repartir en fumée dans le grand cercle du jeu. C'est pourquoi ma mère ne répond même pas et continue d'éplucher les pommes de terre d'un air pensif.

Pour une fois, Anna a tort de ne pas faire confiance à mon père.

Nous sommes, elle et moi, en train d'allumer les bougies de sabbat à la salle à manger quand mon père entre, triomphant, brandissant un grand papier blanc :

— Anna ! Annouchka, regarde ! Nous sommes propriétaires ! Tu entends, Annouchka : pro-pri-é-taires ! Une vraie maison, avec un jardin et des grands arbres !

C'est dur d'attendre le lendemain.

Ce matin, je me réveille très tôt. Quand j'ouvre les yeux, je distingue Maurice qui, dans la pénombre, est déjà assis sur son lit. C'est dimanche, et un ami de Papa vient nous chercher en voiture pour nous faire découvrir les joies de la maison de campagne qui doit nous changer la vie...

Impatients et curieux de voir cet endroit extraordinaire, nous sommes entassés, Maurice, Esther, Maman et moi, dans la guimbarde de Youkle. Maurice rigole tant qu'il peut et me dit :

— Tu vois Jojo, avec Papa, on ne sait jamais où l'on va. Tu peux me croire : si ça se trouve dans un quart d'heure on sera chez les cow-boys...

Installé à l'avant, près de son ami, Papa est aussi excité que nous :

— Tu verras, Moïché, là où je vous emmène, c'est mieux que l'Amérique...

Là, il exagère peut-être.

— Tu vois, Anna, poursuit-il, j'ai su mettre à profit les leçons du passé. Je n'ai pas rendu cet argent au Diable. J'ai investi pour vous ! Pour nous ! Vous allez voir, les enfants, de quoi votre père est capable...

Anna l'interrompt. Elle prend Esther et l'ami Youkle à partie :

— Vous voulez savoir de quoi il est capable pour juste un peu d'argent ? Esther, je ne te souhaite pas un mari comme ton père. Tu ne sais pas ce qu'il a fait pour aller jouer ? Il m'a laissée au dancing toute seule ! Pendant des heures ! Il a payé un danseur mondain pour que, soi-disant, j'apprenne à danser le tango. C'est bien la seule chose qui manque à mon bonheur. Vous vous rendez compte ? Mariée à un homme qui ne connaît rien à la musique et qui me marche sur les pieds quand il essaie de danser, je ne vois pas à quoi ça me servirait d'apprendre le tango !

Esther en rajoute, comme toujours. Mon frère Henri dit tout le temps que c'est pas un hasard si elle a un nom de tragédie :

— Ça n'est pas possible, Papa ! Tu as osé faire une chose pareille ? C'est incroyable !

Mon père ne se laisse pas démonter :

— Et alors ? Où est le mal ? Pendant qu'elle s'amusait, moi, j'ai gagné une maison de campagne... Je te le jure, Anna, je t'ai pris le meilleur danseur du Mikado.

— Je me fiche pas mal de ta maison... Et encore plus de ton meilleur danseur ! J'étais venue pour passer une soirée avec mon mari, et qu'est-ce que j'ai eu ? Un type que je n'avais jamais vu, qui avait les cheveux gominés et des chaussures vernies et qui empestait un parfum de Patchouli. Encore heureux que tu aies gagné... C'est un moindre mal. Mais tu aurais perdu, le coup était le même !

L'argument porte. Ma mère le note :

— Ah, tu vois ! tu ne dis plus rien !

Anna a un peu raison et au fond mon père le sait :

— Annouchka, qu'est-ce qu'il faut que je fasse pour me faire pardonner ? Que je me traîne à tes genoux ? Que je rampe par terre ? Je t'ai même apporté des fleurs ce matin !

Puis, prenant son ami à témoin :

— Youkle, dis-lui quelque chose, dis-lui qu'une autre femme aurait félicité son mari !

— C'est tout simple, Robert, répond Youkle. Ta femme n'est pas une autre femme. C'est pour ça que tu l'as choisie. Dis-moi, maintenant, on va où ?

La voiture vient tout juste d'arriver à l'embranchement de la route de Meaux et de l'avenue Rougemont, juste à la lisière de Livry-Gargan. Mon père sourit de nouveau :

— Tout droit, dans l'avenue Rougemont, nous sommes presque arrivés. Tu tournes à droite dans l'avenue d'Aumale et tu prendras l'allée Richelieu.

— Vous avez entendu, fait Maman désabusée, une allée, même pas une avenue. Où est-ce que tu nous emmènes encore ?

— Tu vas voir, je t'ai dit « une surprise » ! Il y a des allées qui sont encore mieux que des avenues !

Ma mère, décidément, semble difficile à convaincre :

— Je demande à voir ! J'espère qu'elle vaut le coup qu'on lui sacrifie son premier de l'an !

Mon père prend l'air accablé. Quand la voiture s'arrête devant le portail du 56, je comprends que Maman a peut-être tort. L'espace d'un instant, c'est le choc. La voiture s'est arrêtée un peu trop tôt devant une superbe maison de riches avec un magnifique jardin. Youkle s'étrangle :

— Robert... Ça n'est pas cette maison ?

Non, ce n'est pas celle-ci.

La nôtre se trouve bien planquée sur la droite, derrière de grands arbres. Elle n'a bien sûr rien de commun avec la première, mais elle est bien quand même. Ça fait un peu ranch de cow-boys. Toute en bois, avec une véranda. Papa nous avait dit que c'était mieux que l'Amérique, là je dis stop. Mais c'est quand même super chouette. Six cents mètres carrés de terrain, avec des tas d'arbres fruitiers.

Mon père est tout heureux :

— Vous avez vu, nous désigne-t-il, ici, ce sont des cerisiers, là, des poiriers et les quatre qui sont là, devant, ce sont des tilleuls. Le tilleul, c'est la meilleure tisane du monde. C'est bon pour les nerfs, ça calme, ajoute-t-il en jetant un bref regard à ma mère. Venez, on va faire le tour du jardin. N'est-ce pas un vrai paradis ?

Maurice et moi, subjugués, lui prenons chacun une main pour continuer la visite.

— Ce pommier, poursuit-il, a presque cinquante ans, il donne des pommes à ne plus savoir qu'en faire ! Croyez-moi, c'est une pure merveille !

C'est vrai qu'il est formidable cet arbre, même sans feuilles. Il est immense, avec des branches qui s'étalent sur toute la largeur du terrain. Je l'imagine déjà à la belle saison, avec des tas de bourgeons partout. Après, il y aura les pommes, et là, ça va être la fête ! Ce jardin n'est certainement pas le plus beau du monde. Mais il est à nous et ça le rend magique.

— Papa, c'est plus beau que tout ce qu'on pouvait imaginer !

Il me prend tendrement dans ses bras et murmure :

— C'est pour toi, mon petit chou. Ici, tu vas pouvoir courir, t'amuser... Nous aussi, maintenant, on a une maison de famille.

Ce que je ressens est indéfinissable. J'ai une sensation de bien-être incroyable. Je me tourne vers Maman. Elle a de l'eau plein les yeux. Maurice, lui aussi, s'en est aperçu et, comme il déteste voir Maman pleurer, il dit très vite :

— Ce n'est pas tout, il nous reste encore la maison à visiter !

C'est vrai, nous n'avons encore rien vu de notre ranch. Trois marches pour accéder à une vaste véranda, laquelle s'ouvre sur une salle à manger qui fait office de cuisine. Au fond, il y a deux grandes chambres, l'une à droite dont les fenêtres donnent sur le devant du jardin et l'autre sur l'arrière avec vue sur le pommier. Maman circule d'une pièce à l'autre, ravie. Mon père guette ses réactions. Il s'est donné tant de mal pour que tout soit prêt ! Anna le sait, elle n'a plus de rancune mais elle aime le taquiner :

— Bon, ça pourrait être pire. Au shtetl, c'était pas mieux. Le jardin est pas mal. Mais dis-moi, dans ta maison, où se lave-t-on ? Il n'y a aucun robinet nulle part !

Rien ne peut refréner l'enthousiasme de mon père :

— Venez voir, j'ai tout prévu !

Depuis la véranda, il nous désigne un drôle de truc qui trône au beau milieu du jardin : un objet en fonte de couleur verte avec un bras qui pend sur le côté et comme un long bec sur le devant. C'est vraiment bizarre.

— Mais qu'est-ce que c'est que ce machin ? C'est avec ça qu'on se lave ?

— Parfaitement ! triomphe mon père. Tu n'as qu'à actionner son bras, et tu auras plus d'eau qu'il ne t'en faut.

Avec des parents pareils, il faut garder le moral ! Je remue le bras de la pompe de bas en haut et l'eau arrive en bouillonnant.

— Et voilà ! De toute façon, souligne mon père, c'est une maison d'été. Avec la pompe, il y a de quoi remplir de grandes bassines et, si vous voulez de l'eau chaude, dans la cuisine, nous installerons une grande cuisinière. Vous verrez, faites-moi confiance, tout ira bien.

Ma mère le regarde avec tendresse :

— Bien sûr, confirme-t-elle, puisque nous serons ensemble...

Mon père est visiblement très ému. Sans un mot, il prend Anna dans ses bras et l'embrasse tendrement. J'adore quand mes parents se font des bisous. Plus tard, moi aussi j'en ferai des tas à Blanche. Youkle met fin au câlin de Papa en plaisantant :

— Robert, c'est bon d'être heureux... Mais reste calme, ça n'est pas le moment de faire un huitième enfant...

Moi, j'aurais été bien content d'avoir un petit frère. Mais comme personne ne me demande mon avis, c'est sans doute pas demain la veille.

Henri, Madeleine et Rose arrivent pour nous rejoindre. Ils ont pris le train au pont Marcadet :

— On a mis à peine une demi-heure pour arriver à Freinville et la gare est à cinq minutes à pied !

— Je vous l'avais bien dit, renchérit mon père, venir jusqu'ici, ce n'est rien. C'est pratique, vous pourrez inviter tous vos amis, vos copains, vos copines. Je veux que cette maison soit une maison heureuse. Comme disait mon père : « Je ne suis riche que d'amis ! » Il faut qu'il y ait toujours du bruit et de la joie !

— *Mazel Tov !* crient Henri et Albert d'une seule voix.

Maman remarque, ironique :

— De ta bouche dans l'oreille du bon Dieu... Mais qui va faire la cuisine pour tous ces amis ? Tu sais ça va vite, si chacun des enfants invite juste une personne, nous serons vingt ou vingt-cinq à table.

Mon père est décidément enthousiaste :

— Ne t'inquiète pas, lui dit-il, ils te donneront tous un coup de main !

Je pense qu'il se laisse un peu aller. Ma mère est plus réaliste :

— Il y a des jours où l'espoir aide à vivre...

Il est presque deux heures de l'après-midi quand on débarque tous dans une guinguette, au bord du canal de l'Ourcq.

— Il y a même une baignade ! remarque mon père. Cet été, ce sera mieux qu'à Deauville !

Deauville ? Jamais entendu parler. C'est le moment de m'instruire. Poussons d'abord l'omelette avec une gorgée de limonade et attaquons :

— Papa, c'est quoi, Deauville ?

C'est Henri qui répond, il sait toujours tout :

— Deauville, c'est une grande ville de vacances au bord de la mer en Normandie. C'est très beau. Il y a de grands hôtels avec un casino où les gens riches viennent perdre leur argent. Mais pour eux, c'est sans importance, ils jouent que ce qu'ils ont en trop !

Vu.

— Alors Deauville, c'est pas pour nous, parce qu'on n'a rien de trop, et Papa doit encore dépenser des sous pour meubler la maison...

Mon père me regarde tendrement :

— Tu as entendu, Anna ? Ils se font du souci pour savoir avec quel argent je vais meubler la maison ! *Goldene kinder*[1]...

Maman garde les pieds sur terre.

— La maison, on la meublera comme on pourra, on va se débrouiller. Mais tu dois me promettre de ne jamais retourner au Mikado !

Et mon père promet.

A Deauville comme à Freinville, on peut se baigner et jouer au casino. Et si mon père est interdit de casino, pour nous, la baignade est permise...

1. Des enfants en or.

10

Je n'ai plus qu'une idée en tête : pouvoir plonger dans le canal. Pour nous, c'est comme si Freinville était au bord de la mer. Surtout que, n'ayant jamais vu la mer, on ne peut pas faire de comparaison...

Maurice a lu sur un panneau : « Baignade interdite aux enfants non accompagnés ». Je ne le sens pas trop enthousiaste. Il faut dire qu'il y a un problème : je ne sais pas nager. Albert fait le maximum pour nous rendre le sourire :

— C'est pas grave, Henri et moi, on a appris depuis longtemps. Si vous êtes bien gentils, on vous emmènera à la piscine des Amiraux. On vous apprendra.

Inutile de nous le répéter. L'habitude est prise : deux fois par semaine, on se jette à l'eau.

Maurice progresse. La natation n'a déjà presque plus de secrets pour lui. Mon cas est plus douloureux.

Albert et Maurice sont déjà sortis de la cabine et, comme d'hab, je dois les rejoindre près du petit bain. Détour par le grand bain, je longe le grand plongeoir : deux mètres de fond. Les types qui font le saut de l'ange m'épatent. Je retrouve Samy avec son frère et sans son nounours. Eux aussi sont épatés.

— T'as vu ça, fait Marcel, ce n'est pas demain qu'on en fera autant...

— Mon frère, dis-je, sait déjà presque plonger et...

Pas le temps de finir ma phrase. Bousculé par un gros costaud, je vois la piscine qui me fonce dessus.

C'est froid.

Et j'ai pas pied.

Je pédale comme un dingue. Albert dit toujours : « Dès que tu touches le fond, tu donnes des grands coups de talon pour regagner la surface ! »

Pas difficile : plus que deux mètres pour remonter...

Chaque fois que je sors la tête de l'eau, j'entrevois

Samy sur le bord, la bouche ouverte. Il doit penser que je répète un numéro de claquette aquatique pour Broadway. Je ne vois plus Marcel, j'espère qu'il est parti chercher du secours, parce que je commence à fatiguer.

Je sens l'eau qui remonte dans mon nez et me bouche les oreilles. Ça me brûle. J'en avale, et ça a un drôle de goût.

J'ai juste le temps de respirer un grand coup et me revoilà sous l'eau. Je n'ai plus le moral. J'ai beau continuer à donner des coups de pied pour revenir à la surface, je coule.

Cette fois-ci, je suis perdu.

Fini l'Amérique, Blanche et Fred Astaire.

Une deuxième bouffée d'oxygène me laisse entrevoir sur le bord, en un dixième de seconde, un grand type qui plonge vers moi et me prend sous le menton. J'entends juste :

— Surtout, ne bouge pas, laisse-toi faire !

De toute façon, je n'ai plus la force de faire quoi que ce soit. On me tire hors de l'eau.

Re-froid.

Des voix autour de moi :

— Il respire !

— Il faut le transporter à l'infirmerie !

Bonne idée.

Dans l'immédiat, je n'ai rien de prévu.

J'entrouvre les yeux. Avec tout ce que j'ai bu, je m'étonne de voir encore de l'eau dans la piscine. Je sens qu'on m'enlève dans les airs sur une couverture.

Rideau.

Quand je me réveille, ils sont tous là. J'esquisse un sourire qui se veut rassurant. Albert me tient la main et dit :

— Tu nous as foutu une de ces trouilles ! On te cherchait partout : pas de Jojo ! Comment ça va ?

Je traîne un peu pour répondre. Il est bon qu'ils se rendent compte qu'ils tiennent à moi.

Le plus drôle dans tout ça, c'est Maurice. Il est tout pâle. Il me parle tout bas, comme si j'étais malade :

— On peut dire que tu as de la chance... Petit veinard, un type t'a vu dans le grand bain en train de boire la tasse. Il a prévenu le maître nageur. Ils ont été obligés de faire sortir tout le monde. Moi, je te cherchais partout. J'ai eu la trouille, t'imagines pas... Qu'est-ce que je ferais sans toi... Tu voulais me laisser partir tout seul en Amérique, dis-moi la vérité... Tu pensais me laisser tomber ?

— Jamais de la vie, Maurice, si tu tombes, je serai toujours là pour te ramasser.

Ça le fait sourire. Dans le fond il est gentil. C'est un vrai frère. Il me connaît bien, il sait les mots qui me font plaisir. Peu à peu, il paraît que je retrouve des couleurs. Pour la première fois de ma vie, j'ai vraiment eu peur. Mais l'essentiel c'est d'être là. En plus, ça a obligé Maurice à reconnaître qu'il avait besoin de moi, ce qui est un très bon point.

En arrivant à la maison, j'ai encore bien du mal à me tenir sur mes jambes. Nous décidons, d'un commun accord, de ne pas dire à Maman que son petit dernier a failli se noyer... Mais il y a des choses qui ne peuvent échapper au regard vigilant d'une mère qui aime ses chers petits.

Histoire sans paroles.

Je n'ai même pas eu à l'ouvrir que ma mère nous sort déjà tout son répertoire de mère juive :

— *Gewalt ! Oï ! Oï ! Oï !* Dis-moi la vérité ! Qu'est-ce que vous lui avez fait ?

Albert et Maurice ont, en général, réponse à tout. Mais ce jour-là, je dois dire qu'il y a dans les rangs un manque d'inspiration total. Ils ne peuvent pas avouer bien sûr qu'ils m'ont laissé tout seul. Ils bredouillent des trucs mais j'ai la tête qui tourne, qui tourne, et j'entends comme un sifflement. Mes jambes sont du flan lyonnais.

Plaff !

Avant d'avoir eu le temps de faire ouf, je m'écroule. Maman se précipite et Albert est bien obligé de cracher qu'il y a eu un incident à la piscine. Il tente bien sûr de minimiser mon accident, mais Maman n'écoute plus. Elle me prend dans ses bras pour me conduire au lit. Elle me serre contre elle et je sens son parfum. C'est tout doux dans son cou...

— Mon Joujou... murmure-t-elle, il va te falloir trois bons jours de repos !

Trois jours de perm ! Hourra !

J'ai le temps de voir venir... J'adore rester à la maison à ne rien faire. C'est encore plus chouette quand on sait que les copains sont à l'école.

Et ça tombe bien : pile le jour de Bentseré ! Bentseré, c'est une femme qui n'a pas d'âge. Toujours bizarrement fringuée. C'est pas vraiment des loques. Mais attention, elle est tout de même très propre. Sans ça, Maman ne la fréquenterait pas.

Chaque fois qu'elle vient, Anna va lui chercher un énorme panier rempli de vêtements.

— Dis-moi, Bentseré, qu'est-ce que tu fais avec tous ces vêtements que tu prends chez nous, puisque tu les portes jamais ?

— D'abord, me dit-elle, je ne les prends pas, je les achète et je les revends aux Puces ou à des amis. Et si je ne les porte pas, c'est tout simplement parce qu'ils sont trop chers pour moi...

Maman sursaute :

— Trop chers pour toi ? Pas au prix où je te les donne, au prix où tu les vends !

Bentseré n'a pas envie de discuter, elle n'est pas venue pour ça. De toute façon, son paquet est prêt. Comme d'habitude, avant de partir, elle grimace un sourire :

— Anna, peut-être qu'il te reste un hareng, tu sais que je mange peu...

Ma mère a prévu le coup. Facile. C'est chaque fois la même musique.

Elle lui sert son hareng sans rien d'autre, juste pour voir. La réaction ne se fait pas attendre :

— Anna, un hareng sans quelques pommes de terre un peu chaudes, c'est comme un enfant sans père ni mère !

Anna a pitié de l'orphelin. Elle apporte les patates.

Bentseré mastique dur. On pourrait penser qu'elle a fini. Eh bien non ! Anna n'est pas tenue pour quitte. Bentseré se masse le ventre avec une grimace :

— Il était salé ton hareng, Anna ! Je veux bien que tu m'offres une tasse de thé, mais fais attention : avec juste une rondelle de citron.

Immédiatement, elle lance, pour faire plaisir à ma mère :

— Ton petit dernier, c'est une pure merveille !

Anna lui sert son thé qu'elle boit doucement, à petites gorgées, en commentant :

— Tu ne sais pas, il y en a qui mettent de la confiture dans le thé ! C'est un crime. Tu n'as pas de confiture ? Non ? De toute façon, je n'en veux pas. Mais il faudra quand même que j'essaie un jour ou l'autre...

Après avoir déjeuné et fait ses petites affaires, elle repart, discrète, comme elle est venue, en n'oubliant pas de confirmer :

— Anna, la semaine prochaine, même heure !

On a pris l'habitude de la voir. Si par hasard elle ne vient pas, Maman s'inquiète. Personne n'a son adresse.

La semaine dernière, elle n'est pas venue.

Je vois ma mère aujourd'hui encore qui regarde la pendule. Deux heures déjà qu'elle devrait être chez nous. Anna décide d'aller voir ce qui se passe. Comme c'est au tour de la maîtresse d'être malade et que je me retrouve peinard, à la maison, Maman m'emmène. Nous partons donc tous les deux pour Saint-Ouen. C'est le seul endroit où on peut trouver Bentseré, dans la rue des Rosiers, où elle tient, sous une porte cochère, son petit commerce.

Elle n'y est pas. Une autre femme s'est installée à sa place pour vendre des lunettes et des porte-clés. Anna demande :

— Dites-moi, où est Bentseré, celle qui était ici avant vous ?

— Comment, vous ne savez pas ? Il y a quinze jours, elle est tombée raide. On l'a transportée d'urgence à Lariboisière. Elle n'a pas de famille... Vous devez être Anna, elle me parlait souvent de vous...

Des clients arrivent et nous partons. Avant d'aller à l'hôpital, Anna veut repasser à la maison pour préparer un grand thermos de thé à la confiture. Je m'indigne :

— Pourquoi de la confiture ? Elle dit toujours que c'est un crime de boire du thé à la confiture !

— Oui, mais la dernière fois, elle a dit aussi qu'il faudrait qu'elle essaie un jour ou l'autre. Eh bien je pense que ce jour est arrivé. Tu vas voir...

A l'hôpital, on a du mal à la trouver. Personne ne connaît Bentseré. Maman a l'idée d'aller voir aux urgences. Là, pendant près d'une heure, nous attendons un jeune médecin qui a, paraît-il, réceptionné une vieille dame correspondant au signalement de notre amie.

C'est bien elle.

Maman peut la voir. Moi, ils ne me laissent pas entrer. Le médecin est intraitable :

— Les enfants sont porteurs de germes et ne sont pas à l'abri de la contagion.

N'importe quoi.

Je n'ai jamais porté de germes de ma vie !

Je ne dis rien, comme Anna est d'accord avec le médecin... J'attends.

Les infirmières s'occupent de moi. Elles me passent plein de bandes dessinées. J'adore *Les Pieds nickelés*. Ça me rappelle Maurice et moi et les copains en prime. Je suis en train de lire quand Maman revient :

— Alors, quand est-ce qu'elle sort ?

Anna ne veut pas me faire de peine, mais je comprends que ça ne va pas fort. J'insiste :

— Dis-moi, comment elle est, Bentseré ? Elle va mourir ?

— Je n'en sais rien, je ne suis pas médecin... Mais

elle était heureuse de me voir. Elle sait que tu étais avec moi. Tu sais ce qu'elle m'a dit quand je lui ai fait boire le thé à la confiture ?

Maman n'attend pas ma réponse :

— Elle a dit que j'avais été longue à comprendre, que ça faisait longtemps qu'elle en avait envie. Elle a ajouté : « Tu vois, Anna, maintenant je peux m'en aller tranquille. J'ai passé mon envie grâce à toi. »

Nous n'avons jamais revu Bentseré.

Chaque fois que je bois mon thé à la confiture, j'ai une pensée pour elle.

11

Mon père tient ses promesses. Il ne retourne pas jouer au Mikado. Pourtant, Anna ne semble pas satisfaite. Elle sait qu'il a une autre passion. Ils en discutent dans la cuisine :

— Parfaitement, depuis que tu ne joues plus aux cartes, c'est pire. Tu passes dimanches et jours de fête sur les champs de courses !

— Et alors ? répond mon père. Quand on a travaillé toute la semaine dans un salon de coiffure, qu'on a respiré toutes les odeurs d'eau de Cologne, l'acidité des permanentes et des décolorations, il faut bien s'aérer les poumons. Les champs de courses, il n'y a rien de meilleur pour la santé !

— J'aimerais savoir ce que te coûte ta Société d'encouragement à la race chevaline, par curiosité !

— Crois-tu que si ça me coûtait de l'argent, j'y retournerais ? Tiens, je vais te faire une confidence. Tu vois le grand Jack, l'ami d'Albert ? Il connaît tous les jockeys, tous les entraîneurs. Alors c'est simple, il passe au salon pour me donner les bons tuyaux et, quand je gagne, nous en profitons ensemble. Où est le mal ?

Ma mère ne peut nier l'évidence : la maison de Freinville a été meublée sans problèmes et elle n'a plus besoin d'aller au salon le matin de bonne heure attendre que les premiers clients aient payé pour faire son marché.

— Tu sais, si c'était aussi simple, tout le monde gagnerait aux courses. Je n'ai jamais vu personne devenir millionnaire en jouant. Regarde un peu autour de toi. Dans le quartier, ils sont nombreux, les joueurs et ils portent sur leurs visages toutes les angoisses de la terre. Ils ne savent jamais de quoi demain sera fait...

— Demain... Demain est un autre jour... Tu ne sais pas tout...

— Qu'est-ce que tu me réserves encore ? Quelle nouvelle invention ?

— Justement, tu ne crois pas si bien dire... Ma nouvelle invention est tout simplement un truc infaillible. Même si, par malchance, il m'arrive de perdre parce qu'on ne peut pas gagner toujours, eh bien, contrairement à ce que tu penses, je ne risque rien.

Il guette l'effet de la nouvelle.

Le bide complet.

Maman reprend de plus belle :

— Si tu perds... Je vais te dire ce qui arrivera : ta famille ira mendier à la soupe populaire.

— Pas du tout, pas du tout. Non seulement, j'ai tout prévu pour moi, mais aussi pour les autres...

La combine de mon père m'intéresse, parce qu'aux billes, je perds presque toujours, ce qui me vaut de belles engueulades avec Maurice. Si le truc est valable, ça peut m'être très utile. Ma mère n'y croit pas trop :

— Qu'est-ce que tu racontes ? Toi ? Tu as prévu pour les autres ? Parce que tu n'es pas tout seul dans cette histoire ? Je peux savoir ce que tu mijotes ?

Je me fais tout petit. C'est vrai que là, moi aussi j'aimerais bien comprendre.

— Je n'ai pas de secret pour toi. J'ai eu une idée lumineuse. J'ai créé une association qui devrait être reconnue d'utilité publique.

— J'en doute...

— Tu as tort, et laisse-moi finir. L'autre jour, nous sommes allés au *Clair de Lune*, prendre un café avec les copains de la société. Et Rarmille, qui sait que mes affaires vont bien, m'a dit : « Robert, pourquoi tu ne nous mets pas dans le coup ? Nous aussi nous sommes des pères de famille. Regarde, Léon, Abraham, Jacquelé, Lebeïle, ils vont jouer aux courses, ils perdent, bien sûr, mais c'est parce qu'ils n'y connaissent rien ! Ils sont incapables de reconnaître un âne d'un cheval de course. Ça te fait plaisir de les voir malheureux ? » Bref, je te passe les détails. On a discuté pendant des heures. Finalement, on a pris rendez-vous chez un comptable, et on a déposé un projet de société pour nous tous. Au début, il n'a pas voulu, il a dit qu'il devait se renseigner, que ça n'était pas légal. Mais Rarmille et moi, on lui a dit qu'on ne voulait rien d'officiel, que c'était une association entre amis, qu'on voulait simplement qu'il jette les bases de notre projet sur le papier.

— Très intéressant. Viens-en au fait, je peux savoir ce que c'est que cette idée lumineuse ?

— La société des *Uremen cursen spieler.*

— Pardon ?

Anna ouvre de grands yeux.

— *Uremen cursen spieler.* L'Association des malheureux joueurs de courses.

— J'ai bien entendu ? L'Association des malheureux joueurs de courses ? C'est le nom de votre société ? S'ils sont malheureux, ils n'ont qu'à s'arrêter de jouer...

— Mais s'ils ne jouent pas, notre association n'a aucune raison d'exister. Et si nous l'avons constituée, c'est pour jouer sans avoir trop de problèmes... C'est-à-dire en réduisant les risques. Laisse-moi t'expliquer, c'est tout simple : réunion quatre ou cinq fois par semaine, juste avant les courses. Chacun d'entre nous donne ses favoris, explique les raisons qu'il a de croire que son cheval a plus de chance qu'un autre d'arriver gagnant. Nous en discutons, et ensuite nous faisons notre choix. Nous jouons alors, selon nos moyens, et déposons nos mises chez notre trésorier qui se rend pour nous aux champs de courses. C'est à partir de là que tu vas voir comme notre association est démocratique. Il faut juste un peu de chance, je te l'accorde.

— C'est sûrement là où le bât blesse !

— Attends donc ! Les gagnants doivent donner à la société une partie de leurs gains, afin de pouvoir remettre aux perdants une partie ou même la totalité de leurs pertes. Comme ça tout le monde s'y retrouve. Et puis, tu le sais bien, les joueurs sont une race à part. Au fond, peu leur importe de gagner ou de perdre. Ce qui compte, pour eux, c'est de jouer...

Tu sais de quoi tu parles. Tu as plus d'expérience que moi dans ce domaine.

Maman n'a pas l'air emballé du tout. Cela n'entame pas l'enthousiasme de mon père :

— Certains jours, poursuit-il, il y aura davantage de gagnants et l'association pourra aider ceux qui sont dans le besoin.

Anna lève les yeux vers le ciel pour qu'il la prenne en pitié. Mauvais signe.

— Idéaliste ! Il ne manquait plus que ça !

— Tu sais bien que je l'ai toujours été. J'ai milité au Bund[1] avec les plus grands révolutionnaires : Kamenev, Zinoviev, Trotski, je te rappelle. Ici, il y a évidemment moins de risques mais c'est tout de même une révolution. Avoue-le, un truc comme ça, tu n'y aurais jamais pensé !

Là, Maman a l'air d'accord. Peut-être les choses vont-elles s'arranger.

— Je suis à peu près sûr que ça va marcher !

1. Parti socialiste juif (tendance progressiste).

s'enthousiasme mon père. Crois-moi, dans le quartier, les demandes affluent. Si je ne fais pas le tri dans les jours qui viennent, ils vont arriver de partout. Mais là, je te rassure : il n'est pas question de laisser entrer n'importe qui. Nous serons très vigilants.

— Bonne idée ! On l'est jamais assez. Alors, si j'ai bien compris, au train où vont les choses, tu vas bientôt laisser tomber ton salon de coiffure ?

— De toute façon, les enfants s'en occupent.

Fin de la discussion.

Abandon par forfait.

J'ai bien fait de rester, j'ai appris des trucs. Il faudra que je pense à dire à Maurice que, dans une association, il vaut mieux ne pas être trop nombreux et qu'il faut bien choisir ses associés. En ce qui me concerne, je n'aurai pas trop de mal à en trouver des bons, Marcel, Samy et tous les copains du quartier. Oui, plus j'y pense, plus je me dis que c'est une très bonne idée.

Nous ne nous sommes pas encore organisés correctement, parce qu'il y a des discussions à n'en plus finir. Nos parents sont bien plus au point que nous, car il est déjà décidé que mon père est le président de l'association et son ami Rarmille vice-président et trésorier principal. Ils ont même déjà commencé à gagner de l'argent. Pas grand-chose, bien sûr, mais c'est mieux que rien.

Mon père, tout content de lui, explique :

— Nous savons qu'il ne faut pas prendre trop de risques. Nous jouons... Mais nous jouons la prudence. Si l'on gagne un petit peu, on ne devient pas pauvre. L'essentiel, c'est de ne pas être perdant.

Maurice et moi, ça nous donne des regrets. C'est vrai, nous aussi, on aurait pu gagner un peu de fric. Je demande à Papa, il ne veut pas qu'on participe...

Dommage.

Henri et Albert ne sont pas dans le coup non plus. Mais eux, c'est parce qu'ils ont la trouille. Ils ne sont pas faits pour partir en Amérique. Pour ça, il faut avoir la trempe des vrais cow-boys, faut savoir se débrouiller !

Maurice, lui, c'est quelqu'un ! L'autre jour, il arrive devant moi et me sort un billet de cent francs. Une véritable fortune. Je fais un bond. Mais lui, il explique calmement :

— Tu vois, il nous en faut vingt fois plus pour voir l'Amérique. Ce n'est qu'un début. Fais-moi confiance.

— Comment t'as fait pour gagner cent balles ? T'as joué ?

— Oui... mais moi je joue les toquards.

— Qu'est-ce que c'est, un toquard ?

— J'vais t'expliquer, mon petit Jojo. C'est un cheval qui normalement ne doit pas gagner. Alors si, par hasard, il gagne, il rapporte plus. C'est normal. Ton copain Espérance, de temps en temps, va faire des petits boulots pour la mère Epstein. Elle, elle joue pas. Mais en chevaux, elle touche pas mal sa bille. Alors, elle le fait gagner... Comme elle ne le paie pas, ça fait une moyenne. Moi, j'ai profité des tuyaux. Mais on peut pas le faire trop souvent, y'a trop de risques.

— T'as bien raison, dis-je, il ne faut jouer que les coups sûrs.

J'ai entendu Papa le dire, je suis sûr de ne pas me tromper.

Depuis que mon père a créé cette association, nous vivons au rythme des courses. C'est assez rigolo de voir à chaque fois tout le quartier en pleine ébullition. Mon père, pourtant, a l'air un peu soucieux. A côté de lui, le grand Jack semble pensif. On l'appelle comme ça parce qu'il mesure presque deux mètres de haut. Il m'est très sympathique parce qu'il n'arrive pas, lui non plus, à garder les cheveux plaqués plus de dix minutes. Ce qui fait qu'il donne toujours l'impression de sortir du lit. En face d'eux, un associé que je n'ai jamais vu et qui me tourne le dos. Ils sont tous les trois en grande discussion dans la cuisine.

— Oui, dit le type, c'est vrai, nous gagnons... Mais si peu ! On pourrait tenter autre chose que les favoris. L'autre jour, il y a un cheval qui est arrivé premier. Il a pulvérisé la cote. Il a fait quarante contre un. Alors, pourquoi ne pas essayer ?

Papa jette un rapide coup d'œil au grand Jack :

— Nous ne voulions pas vous faire courir le moindre risque. Mais après tout... puisque vous insistez... C'est différent. J'espère que vous avez bien réalisé que vous risquez de tout perdre.

— Croyez-moi, renchérit le grand Jack, en ce qui me concerne, j'ai hésité à vous proposer des chevaux hasardeux... Vous comprenez... Je veux bien perdre mon argent, mais je m'en voudrais toute ma vie de perdre le vôtre. Mais vous avez peut-être raison... Peut-être faut-il savoir perdre pour mieux gagner.

Une quinzaine de jours plus tard, je suis vautré sur un fauteuil du salon. Je ne sais pas si c'est pour mieux gagner, mais ils ont effectivement appris à perdre. Mon père s'emporte :

— Jack, si ça continue, on va tous marcher à côté de nos godasses !

Jack reste calme :

— Robert, ne te fais pas de soucis, ils ne peuvent pas te tenir pour responsable. Je les ai prévenus. C'est la vie... Un jour on perd... Un jour on gagne !

Mon père, ça lui fout un sérieux coup au moral :

— Dire que je voulais qu'ils soient heureux... qu'ils gagnent... ça n'a pas marché... Tous les jours les réclamations affluent, l'argent gagné au début a regonflé le moral des plus malheureux. Ce sont ceux qui ont insisté pour que l'on change de tactique qui passent aujourd'hui le plus clair de leur temps à chercher le cent contre un dans les journaux... Evidemment, il faut attendre des jours meilleurs... Si tu y crois, Jack, peut-être que ça veut dire qu'il ne faut pas désespérer...

Quatre jours plus tard, grâce à *Thiphinar* et *Magister*, la chance est de retour. Papa et Rarmille ne marchent plus la tête basse et le trottoir n'est plus assez large pour eux. Il faut les voir ! Il y en a même qui osent demander à ce que l'on transforme le nom de la société. Ils ne veulent plus du mot « malheureux » parce que ça porte malheur. Mon père essaie quand même de calmer les esprits :

— Vous le savez, la chance est souvent capricieuse. Je pense qu'il faut être prudents...

Rien à faire.

Maman finit de préparer le dîner — poulet grillé et pommes de terre à l'eau avec un bout de beurre qu'on laisse fondre dessus, j'adore ça ! — lorsque je les entends, dans le salon de mon père, voter à l'unanimité « la résolution de risquer la totalité de leurs capitaux ». Je comprends qu'ils engagent tout leur argent et cela représente une très belle somme. Largement deux allers-retours pour l'Amérique.

Il est décidé que Jack se chargera de l'affaire.

Mon père lui fait un petit signe d'amitié avant qu'il ne s'en aille.

Pour ne plus revenir.

Le coup est rude pour mon père qui perd tout son prestige.

Ma mère a pourtant le triomphe modeste. Elle n'aborde jamais le sujet. Mais son silence en dit long.

Il n'est plus jamais question de champs de courses à la maison.

12

Les vacances de printemps, ça passe toujours à une vitesse pas possible. Je lis beaucoup et je me perfectionne dans le jeu de dames. Côté bouquins, je découvre la « Bibliothèque verte », James Oliver Curwood, Jack London et, aussi bizarre que ça puisse paraître, j'aime beaucoup *La Comtesse de Ségur*. Contrairement à ce qu'on croit, c'est pas forcément des livres pour les filles. Pourtant Maurice se fiche de ma fiole en me voyant dévorer *Les Malheurs de Sophie*. Ça m'est bien égal. Je prends ma revanche aux dames. C'est mon frère Albert qui m'a fait cadeau d'un jeu à mon dernier anniversaire. Parfois, je m'entraîne tout seul, je joue à la fois avec les noirs et avec les blancs. J'échafaude des tas de combinaisons. Quand on joue, avec Maurice, c'est le silence absolu dans la chambre. Dès qu'une partie commence, on se concentre, même si on ne joue pas pour de l'argent.

Il y a l'honneur, et ça, ça compte.

Maurice veut prouver que je ne peux rien contre lui, qu'il est le meilleur. Quand la partie débute, je parviens, en m'appliquant, à prendre l'avantage. Mais mon adversaire n'est pas n'importe qui. Jusqu'alors muet, il cherche à me déstabiliser :

— Mais non ! Fallait pas jouer comme ça... T'es vraiment une *mameligué*[1], mon pauvre Jojo ! C'est pas celui-là que j'aurais avancé...

Evidemment, le surnom n'est pas très aimable, mais je veux bien essayer de comprendre :

— Quel pion, alors ?

Maurice me regarde d'un air méprisant :

— Si je te le dis, autant jouer tout seul.

La vache !

Et moi, comme d'habitude, je me fais avoir. A partir de là, la partie bascule. J'ai beau faire des efforts, essayer de me souvenir des combines que j'ai répétées, je sens que la partie m'échappe.

La déroute totale.

Maurice triomphe :

— Je te l'avais bien dit, les blancs jouent et

1. Purée de polenta.

gagnent. Mon pauvre Jojo, il faut te faire une raison. T'es nul. Et avec moi, t'as aucune chance.

Ce type, avec ses airs suffisants !...

— Evidemment que tu es le plus fort, tu as deux ans de plus que moi. Attends un peu, ça ne durera pas toujours !

L'adversaire ironise :

— Mais, mon petit Jojo, j'aurai toujours deux ans de plus que toi. Ça ne change jamais, ces choses-là. Il faut que tu t'y fasses.

Ça fait sept ans que j'essaie de m'y faire...

La revanche.

Maurice réinstalle tous les pions. Cette fois, je le jure, je ne me laisserai pas déconcentrer. Il faut que je me bouche les oreilles, que je réussisse à garder mon calme. J'en étais presque sûr, il attaque latéralement avec les blancs.

Je laisse venir.

Du calme, Jojo, du calme.

Un coup, deux coups.

S'il n'avance pas son pion au bout de la rangée, il est fait comme un rat.

Son doigt hésite et pousse le pion du milieu !

Hourra ! J'enfonce sa défense au centre et lui pique d'un seul coup toute sa ligne avant, qu'il a oublié de protéger. Il est trop sûr de ses attaques. A mon tour de le regarder en souriant. Je ne dis rien. Il me lance un regard vengeur. Il y a crime de lèse-majesté. Il cherche à m'avoir au moral :

— Un coup de pot... t'inquiète... Ça va pas durer. C'est pas tous les jours la fête. Ne dis pas hop avant d'avoir sauté !

Imperméable.

Je ne veux pas l'entendre.

La victoire me tend les bras, ce n'est pas le moment de me laisser distraire.

Il tente autre chose :

— Tiens, t'as entendu, je crois que Maman appelle...

Je ne bouge pas.
Impassible, le mec.
Comme dans l'avant-dernier Tom Mix, où il allumait son cigare sans quitter l'adversaire des yeux. Je continue sur ma lancée. Les blancs sont en déroute. Maurice est de la même couleur que ses pions.
Un grand jour.
Un jour que je n'espérais plus. C'est plus fort que moi...
Je regarde l'empereur Maurice du haut de mes sept ans. Je suis heureux et fier de penser que ses neuf ans n'ont rien pu contre moi. Il fait une drôle de gueule. Pour un peu, si je laisse aller ma nature profonde, je le console !
Maurice fait un effort surhumain pour ne pas exploser. Je suis assis en face d'un bâton de dynamite. C'est Esther, qui, sans le savoir, allume la mèche :
— Jojo, pourquoi t'insistes ? Tu sais très bien qu'avec Maurice, on ne peut pas gagner !....
J'oublie mes bonnes résolutions :
— Tu rigoles ! Je viens de lui foutre une de ces pâtées ! La dérouillée de sa vie qu'il est pas près d'oublier !
Paf !
La baffe monumentale. Je ne l'ai même pas vue arriver, celle-là.
Maurice, ça le calme d'un coup :
— Ça t'apprendra, me dit-il, à avoir le triomphe modeste !

13

Depuis cet incident, Maurice et moi, nous sommes fâchés. Cela fait bien deux heures que je me suis replongé dans *Les Malheurs de Sophie*, afin d'essayer d'oublier les miens, quand Maurice s'amène, l'air de rien, en sifflotant. Je ne bronche pas. Il se penche vers moi :

— T'es fâché pour de bon ? Allez, viens, je te pardonne.

Je rêve.

Il m'en colle une à me décoller le portrait, et c'est lui qui me pardonne ! Faut quand même pas exagérer. Je ne lève même pas les yeux.

— Si tu restes fâché, insiste-t-il, t'auras jamais assez de fric pour partir. Alors adieu l'Amérique, je prendrai le bateau tout seul...

— Je me fiche du bateau. J'ai changé d'avis, je partirai avec Blanche en avion.

Il se radoucit d'un coup. Il doit comprendre qu'il ne m'aura pas comme ça.

— Tu ne me fais plus confiance ? Pour une petite baffe de rien du tout ? Allez, je te dis un secret, mais seulement si tu n'es plus fâché.

Un, je suis extrêmement curieux.

Deux, c'est vraiment fatigant de faire la tête, on s'ennuie tout seul dans son coin.

— Bon, d'accord... Alors, c'est quoi ce secret ?

— Jure-moi que tu n'es plus fâché. Embrasse ton frère... Je te dirai après.

On s'embrasse.

C'qui faut pas faire !

Il prend ses airs de conspirateur et chuchote :

— Eh bien voilà, ce matin, j'ai rencontré Espérance. Tu sais ce qu'il a trouvé ?

Comment je pourrais savoir ? Il me fait mariner :

— Allez, cherche un peu...

On n'est pas réconciliés depuis deux minutes qu'il m'énerve déjà.

— J'ai deviné, dis-je calmement. Un canard vert qui joue du piano.

Il me regarde navré.

— Mon pauvre Jojo, décidément, tu ne progresses pas.

Ça ne va pas durer des heures, je meurs d'envie de savoir :

— S'il n'y a que ça pour te faire plaisir... Je me rends, allez, vas-y, qu'est-ce qu'il a trouvé ?

— Il a trouvé un chien dans une poubelle. Tu sais que, le matin, il fait les ordures. Eh bien, quand il est passé près de la poubelle de la mère Epstein, rue Simart, il a entendu du bruit, comme un bébé qui pleurait. Au début, il n'a pas voulu regarder ce que c'était. Il m'a dit : « Tu comprends, moi, je ne voulais pas d'ennuis. » Puis, tout de même, il y est allé, et il a trouvé un petit chiot tout noir.

C'est pas possible. Depuis le temps que j'ai envie d'un chien !

J'ai peur de demander :

— Mais qu'est-ce qu'il va en faire ? Il ne va pas le garder ?

— Justement, fait Maurice, nous avons notre chance. C'est là que tu dois faire ce qu'il faut. Tu sors d'un accident. Tu as failli te noyer. Les parents ne peuvent pas te refuser ce petit plaisir.

— Tu crois ça ? Depuis le temps qu'on leur demande. Ils n'ont rien voulu savoir.

— Parce que ce n'était pas le bon moment. Faut toujours que tu discutes ! Laisse-moi t'expliquer.

Minute.

D'abord, rien ne me dit qu'il va me plaire, ce chien. Je m'informe :

— Tu l'as vu, toi, ce chien ? Il est comment ?

— Une petite boule noire avec une étoile blanche sur le front. Tu vas l'adorer. Demain, si tu veux, nous irons chez la mère Epstein. C'est là qu'il est, en attendant. Je te le dis, il est superbe.

— Bon, d'accord... Mais les autres, la famille, ils ne vont pas vouloir, ils vont dire qu'on est déjà neuf dans trois pièces... Ils ne voudront jamais d'un clebs !

— Ça dépend... La nuit, il peut coucher au salon. Après tout, la boutique sera bien gardée. C'est un argument. Tu sais que le père Hoffman, depuis qu'il a ses chiens, n'a plus jamais été cambriolé. On peut essayer.

Le lendemain matin, juste avant l'école, on passe à la boutique de Mémé Epstein. C'est encore fermé, mais on se dégonfle pas, on frappe. On l'entend descendre son escalier tout doucement, puis elle demande à travers la porte :

— C'est pourquoi ? Qui êtes-vous ?

C'est vrai qu'il est tout juste huit heures.

— C'est nous, Maurice et Jojo, on vient pour le chien.

La clef tourne dans la serrure. Maurice me souffle :

— Tu vois, c'est gagné !

Mémé Epstein apparaît en peignoir avec les cheveux ébouriffés. On s'en fout. Le plus important, c'est ce qu'elle porte dans ses bras : une petite boule noire qui gémit.

— Ben voilà, maintenant que vous l'avez vu, est-ce qu'il vous intéresse ? Je vous préviens Il m'a empêchée de dormir toute la nuit...

Oh que oui !

— S'il vous plaît, je peux le caresser ? Comment il s'appelle ?

Maurice me crache :

— Il ne s'appelle pas, il vient tout seul...

— Je ne vais pas le garder indéfiniment, nous informe Mémé Epstein qui manque d'humour après sa nuit d'insomnie. La concierge me l'a demandé. Je veux bien vous le donner, mais faut vous décider vite.

Elle le pose par terre. Il vient vers moi, maladroit sur ses pattes, en se dandinant parce qu'il est encore tout rond.

Le coup de foudre. Je lâche mon cartable et soulève le chiot. Il se blottit contre mon pull et me donne de petits coups de langue sur la main. C'est mignon comme tout, un bébé chien, et ça fait des bisous. Maurice rit en nous regardant :

— Tu vois, je te l'avais bien dit, il est venu tout

seul, mais il faudra quand même lui trouver un nom !

— On va trouver.

— Bon, on verra plus tard, pour le moment, il faut y aller, à ce train-là on va finir par être en retard !

La cloche sonne juste comme nous franchissons le portail de l'école.

Ça fait une bonne demi-heure que mademoiselle Stof, notre maîtresse, évoque pour notre plus grande joie les secrets du mont Gerbier-de-Jonc et les mystères du sillon rhodanien.

Il faut être honnête, je m'en tamponne complètement.

Je ne pense qu'à mon petit chiot... Je le revois, blotti contre moi avec ses yeux adorables et son poil si doux... Je l'imagine en train de me chercher.

La cloche, enfin !

A la sortie, je retrouve Maurice. On tombe d'accord : il faut absolument qu'on garde le chien. Il va nous falloir employer les grands moyens.

On est à peine entrés dans la boutique de Mémé Epstein, je lance :

— Madame Epstein, si vous êtes toujours d'accord, je prends le chien, mes parents ont dit « oui ».

Hypergonflé, le mec.

Maurice en reste baba. Il est figé au milieu de la boutique, attendant la suite.

La mémé ne discute pas, trop heureuse de se débarrasser du paquet. Elle me tend la merveille dans un panier d'osier. Il est tout endormi, toujours aussi attendrissant.

Ça me fait bien plaisir d'avoir épaté Maurice. Du coup, il m'aide à porter le panier jusqu'à la maison. Au premier étage on rencontre la mère de Gaby, une amie d'Esther. Elle nous jette un regard soupçonneux :

— Dites-moi, les enfants, qu'est-ce que c'est encore que cette nouvelle idée ? Vous l'emmenez chez vous ? Je les plains, vos parents, avec des gosses comme vous !

On ne répond pas. Au troisième, on croise madame Fouks. Je l'aime bien, madame Fouks, elle est arrivée de Russie en même temps que Maman. Elle jette un coup d'œil au panier et nous regarde, navrée :

— Un chien, c'est tout ce qu'il manque dans la famille Joffo...

— Justement, comme ça, la famille s'agrandit...

Toutes ces réflexions nous donnent la tendance générale. On voit ce qui nous attend, en mille fois pire. On s'arrête sur le palier pour souffler. Dans le cas présent, il vaut mieux ne pas manquer d'air. Comme presque toujours, la porte est entrebâillée. On entre sans faire de bruit pour aller planquer le tout dans notre chambre.

C'est compter sans le chiot qui s'éveille et aboie. Maurice est tellement surpris qu'il en lâche le panier, libérant notre petit protégé affolé qui court se réfugier dans la cuisine. C'est gagné : Anna vient vers nous en tenant le chiot par la peau du cou. Il pousse de petits cris plaintifs. Son air désemparé me donne du courage :

— N'est-ce pas, Maman, qu'il est beau ? Comment tu le trouves ?

Anna revient de sa surprise :

— Dis-moi, Moïché, tu peux me dire d'où sort ce chien ?

Rappelons-nous la tactique des Indiens Cheyenne : la meilleure défense, c'est l'attaque :

— Maman, je te jure, t'inquiète pas... Maurice et moi, on s'en occupera. Un jour lui... un jour moi. Je te promets... Tu vas voir, ça marchera comme sur des roulettes. Et puis c'est bien, un chien, pour la campagne, pour Freinville, ce sera formidable !

Maurice intervient :

— Maman, il est sans famille... On ne va pas le jeter à la rue ! Tu sais, c'est lui qui nous a adoptés. Hein, qu'il est mignon ?

Ça n'a pas dû échapper à Maman, qu'il était mignon. A mon avis, le problème n'est pas là. Le petit chien est de plus en plus rigolo. On dirait qu'il comprend que son avenir est en train de se jouer. Il regarde Maman avec des airs pitoyables et lui lèche doucement le bout des doigts.

Je sens Anna indécise. Elle ne se rend pas compte que, tout en réfléchissant, elle lui rend ses caresses. On entend le pas lourd de mon père dans l'escalier. Maurice me jette un bref regard.

Pigé. Dans deux minutes, on sera fixés.

La porte de la cuisine s'ouvre et mon père nous regarde tous les trois d'un air ahuri. Anna tient toujours le chiot qui s'est blotti pour se rendormir dans ses bras. Papa pense-t-il qu'Anna nous a déjà donné son accord ? Il prend un air résigné :

— Bon, si j'ai bien compris, la famille s'agrandit. Il faudra faire attention qu'il ne pisse pas partout, les enfants. Un chien, il faut s'en occuper...

On promet.

Comme on ne sait pas d'où vient ce chien, qui est sa mère, qui l'a déposé là, on décide de le baptiser « Quiqui », en yiddish : Woswos.

On devient ses deux nounous. Je déniche un biberon. Woswos tête goulûment et mordille ensuite la tétine pour se faire les dents.

Le matin, Maurice le descend, pour qu'il fasse ses besoins. En sortant de l'école, je n'ai qu'une idée en tête : promener le chien. Je lui ai trouvé une laisse bien rouge qui tranche joliment avec son poil noir. Au square Clignancourt, je suis à peu près sûr de rencontrer tous les copains du quartier qui veulent toujours le caresser et lui faire des câlins.

On a vraiment de la chance. Woswos pige tout. Il suffit de lui dire : « apporte », pour qu'il rapporte, « touche pas » pour qu'il ne touche pas. D'un geste ou d'un mot, il sait ce qu'on attend de lui. C'est vraiment du pot d'être tombé sur un surdoué !

Le plus beau, c'est le coup de la TSF. Chaque fois

que j'écoute Coucouroucoucouou, Paloma, Coucouroucoucou ouou Paloma, Woswos aboie en même temps que le chanteur et démarre ses « hou hou » en mesure.

Maurice, bien sûr, voit tout de suite le filon. L'objectif, c'est l'Amérique, et on n'y va pas à pied :

— Ce chien hurle au bon moment par rapport à la musique et toi, tu sais chanter... Si ça marche, vous pouvez faire un tour de chant !

Je dois réfléchir. C'est pas que je ne veux pas... Mais tout de même ! C'est vrai que j'adore chanter... De là à me produire avec un chien, il y a une marge. Blanche aura honte et ne voudra peut-être plus m'épouser !

Gagnons du temps. Je prends l'air dégagé et lance un négligent :

— Tu crois ?

— J'en suis sûr ! Si je chantais aussi bien que toi, je le ferais à ta place. De toute façon, il faut tout essayer, si on ne veut pas avoir de regrets.

Evidemment, vu comme ça...

Comme souvent, c'est moi qui vais prendre tous les risques. En particulier celui d'être ridicule. Je m'installe confortablement près de la radio, pour attendre la fameuse chanson.

Ma sœur arrive :

— Qu'est-ce que tu fous ?

On explique.

Elle se marre :

— Viens dans ma chambre, andouille, j'ai le disque !

Sympa, la frangine.

On emmène le chien, on fait tourner le disque et on attend.

Dans le mille !

Chaque Couroucoucou est doublé d'un « hou hou hou ! ». Le chien paraît s'amuser autant que nous. Je tiens le « houhou » un peu moins longtemps que lui. Evidemment, Maurice m'en fait la remarque :

— C'est pas trop mal, tu peux mieux faire, faut

t'appliquer. Tu manques un peu de souffle. Ça viendra, avec l'entraînement.

Une semaine plus tard, Maurice, qui me sert d'imprésario, décide de nous produire au square Clignancourt. Les copains forment un cercle autour de nous. Maurice attire du monde :

— Approchez... approchez ! Dans un instant ça va commencer ! Aujourd'hui, j'ai l'honneur et l'avantage de vous présenter, de retour d'une tournée triomphale dans la rue Clignancourt, celui qui va vous faire vibrer avec une chanson qu'il interprète en duo avec son chien chanteur ! Oui, vous avez bien entendu, j'ai dit avec son chien ! Vous ne rêvez pas !

Silence. Woswos va-t-il réagir de la même façon, hors de chez lui, de ses habitudes ?

J'ai le trac. Il paraît que tous les artistes, petits ou grands, sont passés par là. Certains disent que c'est une preuve de talent. C'est rassurant.

J'attaque.

Oubliés les copains et les passants. Je fixe intensément le chien. Il démarre ses « hou hou hou » en temps voulu.

Je sens que je me détends peu à peu...

Je reprends mon souffle pour parvenir au dernier « Coucouroucoucououou ». Il est très raide, celui-là, il dure un temps fou.

Je tiens le maximum.

Le stade suivant, c'est la crise cardiaque.

Depuis la baffe de Madeleine, les crises cardiaques, je m'en méfie de ces machins.

Je termine ma chanson. Woswos, comme toujours, tient plus longtemps que moi, et les copains reprennent avec lui. C'est un triomphe. Même Samy enlève son pouce de sa bouche pour pouvoir chanter. Marcel, Aaron, Dubois, Jeannot, tous applaudissent. Je n'en espérais pas tant !

Notre numéro crée un petit attroupement d'où partent toutes sortes de commentaires :

— Qui sont ces gosses ?

— Ce sont sûrement des Gitans, il n'y a qu'eux pour faire ça !

C'est idiot comme remarque, y a pas que les Gitans qui font de la musique dans la rue. Je le sais parce qu'Anna nous a souvent raconté que, quand elle a traversé l'Europe pour fuir la Russie et ses affreux pogroms, elle gagnait sa vie grâce à son violon. Elle a joué sur les places, dans des marchés, dans des gares, le soir à la terrasse des restaurants. Elle a joué en Hongrie, où elle avait très froid. Et en Autriche, aussi, c'est sa grande fierté. A Salzbourg, il est interdit de faire une fausse note, parce que les passants connaissent tous très bien la musique. Maman explique que Mozart les a rendus très exigeants. J'ai longtemps cru que ce type était le maire de la ville ou quelque chose dans le genre. Mais Anna m'a raconté que c'était un génie de la musique qui a vécu il y a deux cents ans. Ça m'a épaté qu'un type mort depuis si longtemps ait encore autant de pouvoir. Elle a joué à Venise, aussi. Il paraît que Venise, ça s'accorde très bien avec le violon. Moi, je vois pas bien le rapport entre les deux, mais Anna a l'air convaincue. Elle en garde un très beau souvenir, parce que l'Italie était la dernière étape avant la France. Quand elle en parle, ses yeux s'en vont loin loin. Ça m'embête toujours un peu de la voir partir comme ça, dans ses souvenirs. C'est une époque où elle n'était pas encore ma maman, et j'aime pas qu'elle la regrette. Je suis sûr qu'elle est plus heureuse maintenant qu'elle nous a et qu'il y a le salon, mais quand même !

C'est pas parce que c'est ma mère mais, jolie comme elle est, elle devait pas manquer d'admirateurs ! C'est une véritable artiste. Elle a surmonté toutes ces épreuves grâce à la musique. Elle dit parfois :

— Yosselé, la vie, c'est un violon. Il faut s'appliquer, mais c'est Dieu qui guide ton archet.

Je peux dire qu'aujourd'hui est une journée sans fausses notes. Enfin presque. Finalement, j'aurais vraiment aimé que Blanche nous entende chanter. C'est d'ailleurs bizarre qu'elle ne soit pas venue. D'habitude, elle est presque toujours là avec les copains, vers cinq heures. Je ne peux m'empêcher de penser à elle... Je suis heureux de voir que tout a bien marché mais, en même temps, je suis inquiet.

Nous rentrons, Maurice, le chien et moi. Devant le *Clair de Lune*, la Mimé essaie, comme toujours, de vendre ses gâteaux. Je lui fais un petit signe :

— Bonjour, Mimé, vous savez où elle est, Blanche ?

Elle répond en yiddish parce qu'elle parle mal en français. Il faut que je me concentre, parce que je ne pige pas tout. Elle m'explique en gros que Blanche est fiévreuse, qu'elle doit garder la chambre quelques jours.

Pas de chance, c'est un coup dur !

Demain, c'est samedi, et le samedi, normalement, on se voit toute la journée. Maurice me tape sur l'épaule :

— Te bile pas ! On va passer la voir. En plus, ça lui fera plaisir !

Il y a des fois où Maurice est un vrai frère. Nous voilà donc partis en direction de la rue Eugène-Sue. C'est Sonia, la mère de Blanche, qui nous ouvre.

Maurice s'occupe des mondanités :

— Comment va Blanche ? On ne l'a pas vue à l'école et la Mimé nous a dit qu'elle avait pris froid ?

Sonia paraît contente de nous voir. Elle doit penser que ça va faire plaisir à sa fille et nous conduit rapidement jusqu'à sa chambre. On entre.

Le choc.

Blanche n'a pas le même regard que d'habitude. Ses yeux paraissent plus brillants, plus grands, aussi. Ils sont cernés de marron et, comme elle est très pâle, ça ne lui donne pas bonne mine.

En plus, elle a du mal à parler. Ça me flanque vraiment un coup. Je vois bien qu'elle veut nous sourire, mais elle n'y arrive pas. On essaie, non sans mal, de cacher notre inquiétude. Je m'approche du lit et lui prends la main :

— Blanche... Tu n'as pas l'air très en forme... C'est dommage, tu viens de rater mon premier récital !

J'essaie de lui raconter mes exploits du square. Elle écoute, mais je suis pas sûr qu'elle entende. Maurice parvient tout de même à lui arracher quelque chose qui ressemble à un sourire :

— Blanche, quand tu seras guérie, je te prends comme associée. On va faire chanter Jojo dans les squares avec le chien, et toi tu vendras les gâteaux de la Mimé. On va vite faire fortune. L'Amérique, ça risque d'être plus tôt que prévu !

Elle nous regarde. On la sent vraiment très fatiguée. Je voudrais lui dire qu'il faut qu'elle guérisse, que je ne peux pas me passer d'elle pour rire, pour parler, pour aller voir partir les trains. Peut-être que, s'il n'y avait pas Maurice et Sonia dans la chambre, j'oserais lui dire « je t'aime ».

Je me tais.

D'un coup, Blanche est secouée d'une toux violente qui la fait se redresser d'un bond. Sa mère se précipite et la soutient. Maurice recule. Une fois calmée, elle fait l'effort de nous rassurer :

— Jojo, ne sois pas triste, je te le promets, je vais guérir... On se fera encore des balades... On ira voir les trains... Tu verras, on va faire plein de beaux voyages...

Mon cœur se serre. Elle aurait pas dû dire ça, ça me fout le cafard. Je lui souris en prenant l'air détendu. On s'approche du lit pour lui faire un bisou avant de partir, mais Sonia nous arrête d'un signe de la main :

— Faut pas l'embrasser, le docteur dit que la coqueluche, c'est contagieux.

J'insiste :

— Au point où on en est, c'est un peu tard !

Avant qu'elle m'en empêche, je passe mes deux bras autour du cou de Blanche et lui plaque deux gros baisers sur les joues. C'est là que je réalise qu'elle est vraiment brûlante.

On sort de la chambre et je jette un dernier regard

à ma Blanchette qui me sourit. Je crois que ça lui a plu, le coup des baisers. Ça donne l'air du type courageux qui brave le danger. C'est pas parce que Blanche préfère Ginger Rogers à Tom Mix qu'elle est insensible à ce genre de truc. Avec les femmes, il faut du courage. J'ai souvent entendu mon père le dire.

Sa mère nous raccompagne.

Nous marchons côte à côte, avec Maurice, sans un mot. J'ai le moral dans les chaussettes. On rentre à la maison. J'ai vraiment pas envie d'aller me balader. Autant traîner du côté du salon.

Assis en haut des escaliers, c'est l'observatoire idéal. De là, on entend sans être vus. Maurice dit que ça peut valoir le ciné et qu'au moins, c'est gratuit. Ce que je préfère, c'est quand ils parlent de politique. Des fois, ça tourne mal et le ton monte :

— T'es un rouge !

Je comprends pas ce que ça veut dire, mais c'est rigolo. Toutes leurs discussions... ça ne sert à rien... ou à pas grand-chose. Monsieur Lewinson, c'est le champion. Il est incroyable celui-là, il sait toujours tout mieux que tout le monde. Mon père dit que c'est un authentique socialiste de la première heure. Ça doit vouloir dire qu'il est né comme ça. Il a une dégaine marrante, avec des petites lunettes rondes qui lui donnent l'air de réfléchir tout le temps. Il n'enlève jamais son grand manteau noir, même quand mon frère lui coupe les cheveux.

— ... Et c'est pas avec votre fichu Front populaire que ça va s'arranger !

C'est curieux, quand ils parlent politique, ils sont presque toujours en colère.

— Le Front populaire représente les forces vives de la nation ! C'est vous qui ne vous arrangez pas ! J'irais même jusqu'à dire que vous dérangez ! Parfaitement, monsieur, vous dérangez ! !

Je n'ai jamais vu ce type, ça n'est pas un habitué. Il doit se demander où il a mis les pieds ! Mon père n'aime pas trop qu'on parle politique au salon. Il dit qu'un commerçant doit toujours être du même avis que ses clients pour ne pas les perdre. Ça doit être vrai, parce que le type qui dérange s'est levé et renfile son manteau. Il sort en claquant la porte. Mon père se tourne vers Lewinson :

— Voilà... voilà, tu as vu ce qui se passe quand on parle politique... Moi, je perds un client. Et, tu peux me croire, celui-là, il est pas près de revenir !

— Ce n'est pas ma faute, s'excuse Lewinson. Je ne voulais pas discuter avec ce type... Je ne le connais même pas ! C'est à ton fiston que je voulais expliquer quelque chose...

Moi, j'aime assez l'écouter. Il a toujours des tas d'histoires à raconter. Aujourd'hui, il est particulièrement en forme, parce qu'il arrive d'une manif ! Il a un œil au beurre noir, mais ça, c'est les risques du métier ! Depuis qu'il est là, il ne lâche pas un bout de chiffon blanc sur lequel il y a trois flèches noires. Il a l'air tout content. C'est sans doute pour nous raconter son après-midi qu'il a fait fuir le seul client du salon :

— Regardez les enfants, voilà ce que je leur ai piqué ! Ils étaient quatre ou cinq, ces cagoulards, ces croix-de-feu ! Je leur ai montré de quoi un socialiste était capable... J'en ai pris plein la gueule mais je leur ai enlevé leur drapeau.

Tout le monde le félicite. Ils repartent dans des discussions à n'en plus finir. Ça devient trop compliqué, je ne comprends rien. Maurice a déjà décroché. Il est remonté dans la chambre, il doit bouquiner. J'aimerais bien que d'autres clients arrivent. C'est chouette de regarder Henri et Albert travailler. Ils sont élégants et se tiennent toujours droits. Ils font claquer les ciseaux, tournant autour du fauteuil, un coup à droite, un tour à gauche. C'est rapide et précis, pas plus d'un quart d'heure pour une coupe. Dans le genre, on ne peut pas trouver mieux dans le quartier. C'est pour ça que ça marche... En plus, il y a toujours de l'ambiance au salon.

Henri est très marrant. Il sait se foutre de la gueule

du monde, l'air de rien. Il voltige autour de Lewinson en prenant l'air inspiré. Dès que l'autre s'arrête, Henri s'immobilise, les ciseaux en l'air et dit :

— Et alors ? avec de grands yeux inquiets.

Lewinson repart de plus belle :

— Alors ! Eh bien, vous verrez ! Aujourd'hui, un grand espoir s'est levé sur la France. C'est la première fois dans l'Histoire que les hommes vont avoir droit aux congés payés. Quinze jours ! C'est un bon début. Et tout ça, grâce à notre lutte ! Grâce à l'union des forces de gauche ! Grâce au Front populaire ! Il faut que le mot égalité retrouve tout son sens ! L'égalité ! l'é-ga-li-té ! Il faut qu'un enfant de mineur ait les mêmes chances qu'un fils de bourgeois ! Nous pouvons y parvenir, mais pour cela, nous devons nous battre !

— Restez assis, monsieur Lewinson, dit calmement Henri.

— Ah oui, pardon...

Il se rassoit d'un air navré :

— Tout reste à faire, Henri. Malheureusement, nous n'en prenons pas le chemin.

Albert finit de balayer les mèches de cheveux. Il croise ses mains sur le manche de son balai et s'appuie sur la table :

— Allons, monsieur Lewinson, il me semble que vous exagérez. La République fait ce qu'elle peut. Nos parents et vous-même avez été heureux d'être accueillis par la France. C'est encore ce que vous avez trouvé de mieux en Europe ! Il nous suffit de regarder autour de nous pour comprendre : l'Italie est fasciste, l'Espagne en prend le chemin, quant à l'Allemagne, on peut s'attendre au pire !

Maurice et moi, on écoute. C'est vrai qu'on a bien de la chance d'être nés en France, d'être d'authentiques Montmartrois.

Monsieur Lewinson paraît se calmer.

Fausse alerte :

— Bien sûr, il y a toujours pire. Mais ce que je

veux, moi, c'est le meilleur ! Si nous devons faire un choix entre la peste et le choléra...

Henri pose ses ciseaux, scandalisé :

— Ça n'est pas possible, vous comparez la France à ces pays où la liberté ne veut rien dire !...

— Non, je ne compare pas... Mais lisez les journaux, l'antisémitisme existe en France aussi... Si on laisse faire, on peut craindre le pire. Il ne faut pas s'endormir. Il faut lutter et militer.

— C'est ce qu'on fait ! coupe Albert. Pourquoi croyez-vous qu'on aille à la Licra[1] ? Mais tout de même, la France, c'est une vraie démocratie. C'est un pays qui tolère tous les courants de pensée...

Lewinson commente, lugubre :

— Oui, même les pires...

— Il suffit d'être conscient du danger qu'ils représentent pour nous tous...

— Ça ne suffit pas toujours, mon garçon. La liberté des uns s'arrête où commence celle des autres. Et la liberté, c'est parfois une notion bien floue...

14

Jeudi : coup de chance, il fait un temps magnifique !

Maurice dégringole les escaliers, Woswos sur les talons :

— Amène-toi, on va place du Tertre avec le chien. Y'a plein de touristes, là-bas. On va se faire du blé. Je suis sûr qu'ils n'ont jamais vu un type chanter avec un chien.

Après tout, pourquoi pas, ça ou autre chose...

Si ça marche, j'achète un cadeau à Blanche.

1. Ligue internationale contre le racisme et l'antisémitisme.

Sur la place du Tertre, on entend parler toutes les langues. Les touristes se font tirer le portrait. C'est marrant de comparer avec ce que dessine l'artiste. On flâne un peu avant de choisir un emplacement. Maurice se précipite vers une grosse bagnole et ouvre la portière. Il n'a même pas besoin de tendre la main, il récolte deux balles de pourboire.

Sans se fatiguer.

Je trouve un endroit sympa, près d'un arbre. Maurice me rejoint, et nous commençons. Je chante Charles Trenet, ça marche bien. Woswos est en mesure. Maurice ne perd pas de temps. En moins de cinq minutes, il ramasse plus de quinze pièces de un franc. Un véritable trésor.

L'Amérique nous tend les bras. On se planque dans une cour près de la *Crémaillère.* Maurice compte notre trésor. On ne rêve pas, il y a bien quinze francs et soixante-quinze centimes. La fortune vient avec la gloire. Je suis content, mon grand frère est fier de moi :

— Tu vois, c'est beau ce que deux frangins peuvent faire ensemble.

Il n'a pas fini de parler qu'un grand et gros mec se mêle à notre conversation sans y être invité :

— Alors, les mômes, on compte le magot ? Faut partager ! Moi j'vous dis qu'il y en a pour trois ! Vous voyez ce que j'veux dire ? Faut pas laisser un ami dans le besoin ! Les emmerdes.

Je les sens venir. Terrible.

On se regarde avec Maurice. Pas besoin d'échanger un mot pour piger. Simple : soit on partage et on peut revenir sur la Butte, soit on se tire à fond de train et on est grillés pour un bout de temps.

Pas d'affolement.

Du calme, Jojo.

Que ferait Tom Mix ?

Le gros type s'approche, sûr de lui, en roulant des épaules. Maurice recule vers moi. Heureusement que mon frère est là, parce que, pour ce qui est du chien, faut pas rêver. Woswos regarde la scène, l'air joyeux, en remuant la queue. Il doit penser qu'on est en train de sympathiser avec un nouveau copain. Derrière nous, l'arbre. Devant, le type que nous fixons droit dans les yeux. Je sens bien qu'il faudrait faire quelque chose, mais je ne sais pas trop quoi. Gras-du-bide s'impatiente. Son sourire laisse apparaître des dents en clavier de piano, trois blanches, deux noires.

En d'autres circonstances, ce genre de truc prête à rire.

En d'autres circonstances.

Même Woswos qui jusque-là ne nous l'avait pas jouée très fine commence de comprendre qu'il se passe un truc.

Il faut se résigner, ce chien n'a rien à voir avec Rintintin. Il pousse un gémissement et disparaît derrière l'arbre.

Impressionnant et dissuasif. L'ennemi, d'ailleurs, avance encore d'un pas. Maurice intervient :

— Bon, bon, je vais te donner quelque chose. Nous avons six balles, ça t'en fait deux. C'est logique, on partage à trois... Tu sais, nous on n'a pas bien l'habitude de partager... Mais comme t'es plutôt sympa, pour toi on va faire une exception.

Il est très fort en calcul mental, Maurice. Il n'y a vraiment qu'à l'école que c'est un désastre. J'ai failli dire « Mais Maurice, on n'en a pas six, on en a quinze ! »

Je n'ose imaginer le savon que j'aurais pris !

Ça argumente dur, à ma gauche :

— Tu te rends compte du fric que tu vas te faire en te tournant les pouces ! On va revenir quatre ou cinq fois par semaine ! Tu vas te prendre au moins dix balles à chaque fois. T'es un veinard, y'a pas à dire...

Ce qui m'étonne, c'est que l'autre a l'air content. Le muscle sans l'intelligence.

— Ça va, dit-il, c'est correct.

Ouf... On s'en tire bien. L'espèce de monstre s'en va en comptant ses sous.

Il y a dix minutes, c'étaient les nôtres.

— Tu crois pas qu'en courant vite on avait une chance de ne rien lui filer...

— Oui, peut-être... Mais faut voir plus loin, mon petit Jojo. Maintenant, on peut revenir quand on veut. Il vaut mieux être plusieurs sur une bonne affaire que seul sur une mauvaise.

Ça me fait sourire. Maurice me tape sur le bras :

— Allez, t'as bien travaillé, on rentre. Si on continue à faire équipe, l'Amérique, c'est pour bientôt !

Ça, c'est une bonne nouvelle. Je le redirai à Blanche. Je passe la voir tous les soirs en rentrant de l'école depuis plusieurs semaines. Peut-être que de savoir que notre départ est avancé, ça va lui donner l'envie de guérir... parce que, de ce côté-là, ça ne va pas aussi vite que je le pensais. Elle parle très peu, même à moi. Je ne reste jamais plus d'un quart d'heure, parce que sa mère me dit que ça la fatigue. Moi, ça me fait vraiment du bien de la voir. Depuis qu'elle est couchée, je n'ai plus envie d'aller jusqu'au pont Marcadet pour voir passer les trains. J'ai vraiment hâte qu'on y retourne ensemble. Pour le moment, on ramène Woswos à la maison, parce qu'il ne peut pas nous accompagner chez Blanche.

On retrouve la maison en branle-bas de combat. C'est le grand nettoyage de Pâques. Le chien est immédiatement interdit de séjour dans l'appartement. Il reste au salon. Doué comme il est, ils vont peut-être réussir à lui apprendre la coiffure.

J'embrasse Anna du bout des lèvres. Elle a du noir sur la joue et un foulard sur la tête pour protéger ses cheveux de la poussière.

Il faut faire vite, parce qu'on risque, Maurice et moi, d'être enrôlés d'office pour le grand nettoyage. Je repars en criant :

— On va voir Blanche, Maman ! On revient...

J'entends un :

— Yosselé !... Viens ici, chéri.

Je sursaute. On va se retrouver ici coincés avec un balai et finie la rue Eugène-Sue. Essayons de négocier :

— Mais, Maman, Blanche...

— Oui, chéri. Blanche, justement. Elle n'est plus chez elle. Elle est à l'hôpital.

Horreur.

— A l'hôpital, mais pourquoi ?

— Parce qu'à Paris, elle ne guérit pas. C'est un hôpital spécial, à la montagne, pour l'aider à soigner ses poumons.

Ça me coupe les jambes. Maurice reste silencieux.

— Mais comment j'aurai de ses nouvelles ?

— Tu vas pouvoir lui écrire, chéri. Ça lui fera sûrement très plaisir de lire tes lettres. Tu sais, le temps va lui durer autant qu'à toi !

J'espère. Parce que pour moi, le compte à rebours commence. On se voyait bien sûr beaucoup moins, ces derniers temps, mais quand même. J'allais lui rendre visite tous les jours. Là, c'est plus pareil... Elle est trop loin.

— Tu devrais monter dans ta chambre et lui faire une lettre, pendant que Maurice m'aide à passer la serpillière.

J'ai beau ne pas avoir un gros moral, la tête de Maurice me donne envie de rigoler.

C'est Pâques, et tout le monde parle de vacances. Dubois part dans le Périgord, d'autres vont à Deauville. D'habitude, j'aime pas trop cette période, parce qu'on ne va jamais nulle part. Mais cette fois-ci, c'est différent. Nous aussi, on s'en va, et pour de vrai. C'est même le grand départ : on ne revient qu'en septembre. La cause est entendue. J'ignore ce qui a décidé nos parents. C'est vrai qu'aller en classe à Freinville ou dans le dix-huitième arrondissement, ça ne change pas grand-chose pour des petits génies tels que nous. Et puis le grand air, c'est bon pour la santé, tout ça. Evidemment, question grand air, j'aurais préféré aller voir Blanche à la montagne, mais faut pas rêver...

A l'école, Dubois me demande :

— Alors Joffo, il paraît que tu pars en vacances, pourtant les congés payés, c'est seulement l'été...

— Peut-être... mais moi, mon père, il est patron, alors on n'a pas besoin de ça. On s'en va maintenant et on rentre fin septembre. Mon père a acheté une villa à Freinville.

Et toc.

Je lui en pose, moi, des questions ?

Il veut toujours tout savoir. Il se croit tout permis parce que ses parents habitent autour du square Clignancourt et qu'ils partent en vacances à la mer. Il parle toujours de Deauville, de Trouville. A l'entendre, c'est le paradis sur terre. Maurice dit qu'il veut nous en mettre plein la vue. En plus, on est sur le même banc, parce que les pupitres vont par deux. Alors quand il commence ses histoires en récré, j'ai droit à la suite pendant la leçon. La maîtresse est en train de nous montrer des pays sur une carte en couleur. Elle les désigne avec une grande baguette. Dubois me pousse du coude :

— Pssst ! Joffo ! C'est où ton bled ?...

— Quel bled ?

— La résidence secondaire de tes parents, c'est où, t'as dit ?

Je chuchote :

— Freinville.

— Où ça ?

— Freinville !

J'ai presque crié.

— Joseph !

Bing. Ça devait dégringoler.

Je me lève.

— Oui, mademoiselle ?

— Pourriez-vous nous dire de quoi vous étiez en train de parler avec votre camarade ?

— ...

— Vous me copierez « Je ne dois pas interrompre

impunément le cours de géographie par d'inutiles bavardages qui dérangent mes camarades de classe » cinquante fois pour demain.

— Oui, mademoiselle.

— Asseyez-vous.

La leçon reprend.

Dubois aussi.

— Alors, c'est où Freinville ?

Il me pompe. A cause de lui, je ne vais pas pouvoir écrire à Blanche ce soir.

— Tu vois Deauville ?

Oui, il voit Deauville.

— Tu vois Trouville ?

Il voit Trouville aussi.

— Eh bien Freinville, c'est pareil.

Fin de la discussion. Il me regarde stupéfait.

— Ferme la bouche, dis-je.

Efficace.

Il est calmé pour le reste de la journée.

15

Le départ, enfin ! Puisque Blanche n'est plus à Paris, je ne vis que pour partir à Freinville. Le taxi qui nous emmène est plein à craquer. Dans ces cas-là, on se passerait volontiers de Woswos qui commence à devenir énorme. Papa est monté devant, Maurice et moi à l'arrière, sur des strapontins. Maman et Esther se tassent sur la banquette. Le chien s'étale de tout son long sur nos pieds. Sur le toit, les valises sont fixées avec des cordes. Maman a ajouté des tas d'autres trucs, des ustensiles de cuisine, des couvertures, elle a tout prévu. Le chauffeur a l'air inquiet pour son taxi. Il s'adresse à mon père en russe.

Anna, brièvement, m'explique que c'est un Russe blanc :

— Tu vois, avant la révolution, c'était un grand seigneur dans son pays. En Russie, cet homme-là ne nous aurait jamais adressé la parole. Aujourd'hui, tout est différent. C'est un émigré comme nous...

Il est drôlement sympathique, ce grand seigneur qui parle en roulant les *r.* Mon père lui indique l'itinéraire :

— Porte de Clignancourt jusqu'à l'église de Pantin, et ensuite la grande route de Meaux jusqu'à Livry-Gargan. A partir de là, il nous faudra tout juste dix minutes avant d'arriver.

En effet, trente-cinq minutes plus tard, le taxi s'arrête devant la grille du jardin.

— Vous avez vu ça, s'extasie mon père, même pas une demi-heure pour venir jusqu'ici ! Je viendrai tous les soirs ! Ça ne posera aucun problème.

C'est chouette si Papa vient nous rejoindre le soir. Maman est plus réservée :

— J'espère que tu viendras le plus souvent possible, que tu ne vas pas nous abandonner...

— Jamais de la vie, s'indigne mon père, je ne peux pas vivre sans vous, tu le sais bien.

Il n'y pas à s'inquiéter. Je ne vois pas pourquoi Anna dit une chose pareille.

Nous commençons à décharger le taxi. Notre arrivée ne passe pas inaperçue. On va se faire des copains bientôt, je le sens. Quelques types de notre âge se sont assis sur le muret, de l'autre côté de la route, et n'en perdent pas une miette. On se sent un peu sous une loupe, mais ils ne bronchent pas.

— C'est les nouveaux voisins qui s'installent. Bon sens de l'observation.

— Oui, confirme l'un d'eux, je sais, ce sont les youyous.

— T'as raison, ça doit être eux. J'ai entendu mon père dire hier : « Les youyous arrivent demain »...

Ils sont dans les temps puisque demain, c'est aujourd'hui !

Confus, le type.

Je regarde Maurice d'un air interrogateur.

— C'est rien, c'est des conneries, fais pas attention. Dans quelques jours, ça ira mieux.

Bon.

Une chose, pourtant, me tracasse. Je tire mon père par la manche avant qu'il ne reparte porter la valise à la maison :

— Jojo, je ne m'amuse pas, moi. Qu'est-ce que tu veux ?

— Papa, je voudrais savoir, notre nom, c'est bien Joffo ?

— C'est pour me poser des questions stupides que tu m'empêches de décharger la voiture ? Enfin Joujou, un enfant de deux ans connaît son nom !

— Moi aussi, je connais mon nom ! Mais, eux, là, au lieu de dire « Voilà les Joffo », ils ont dit « Voilà les youyous » ! Alors tu m'expliques ?

Soupir.

— Ecoute bien ce que je vais te dire. Pour le moment, tu te tiens tranquille, tu ne fais pas d'histoires. « Youyou » pour te dire la vérité, ça veut dire youpin ! Et youpin, c'est pas très gentil... Mais c'est parce qu'ils ne nous connaissent pas. Tu verras, quand nous aurons fait connaissance, tu seras Joseph et ils appelleront ton frère Maurice. Pour l'instant, on fait semblant de rien. Apprenez à vous connaître.

— Mais tu ne me dis pas ce que c'est, un youpin ?

— C'est un juif. Tu es content maintenant ?

Pas tant que ça.

Maintenant, je sais qu'à Freinville il va falloir que je m'habitue à être un « youyou ». J'en parle à Maurice. Il me répond :

— T'occupe. Rien faire et laisser braire.

Bon.

On tâchera de s'en souvenir.

Notre chauffeur s'en va. On commence à s'installer. Maurice et moi sommes affectés à la corvée d'eau, parce qu'elle n'est pas potable à la pompe du jardin. Il nous faut un grand récipient fermé par un couvercle sur la brouette pour aller jusqu'à la fontaine. L'aller nous paraît facile. C'est vrai, c'est pas très loin de chez nous, mais au retour, il faut qu'on s'arrête plusieurs fois. On arrive essoufflé à la maison. Maurice se laisse tomber sur le perron en grognant :

— T'as compris ce qui nous attend ici... Ce sera comme ça tous les jours. Et on a aucune chance de rencontrer Jean Valjean.

Il m'explique le coup des *Misérables*, il a l'air de s'en remettre difficilement. Le seul livre qu'il ait jamais lu, c'est pas de pot ! Je trouve pourtant qu'il exagère parce que Freinville, même si ce n'est pas très loin de Montfermeil, ça n'est pas du tout la même chose... Et puis nos parents, c'est pas comme les Thénardier ! Mais Maurice a pas l'air d'avoir trop le moral. Il y a des fois où c'est le petit qui console le grand :

— Te bile pas : Cosette, elle était toute seule, nous, on sera toujours deux !

On entend Maman chanter dans la cuisine, elle prépare à manger sur la cuisinière. Esther râpe le fromage en accompagnant Maman avec des « lalala ». Tout est calme. Et si je n'avais pas cette boule au fond du ventre qui ne me quitte pas depuis que Blanche est malade, je serais parfaitement heureux. Maurice allume des lampes à pétrole, car il n'y a pas d'électricité. Moi, je mets le couvert dans la véranda, on va manger en regardant les étoiles. C'est vraiment chouette. Le repas est à peine fini que je tombe déjà de sommeil.

Je n'oublie pas d'embrasser, comme chaque soir, le petit ruban bleu ciel que Blanche, un jour, a oublié à la maison...

16

Le lendemain, debout très tôt.

On veut tout explorer. C'est le jour du marché, près de la petite gare. Maman achète des bébés canards, des poussins et même une oie. Elle m'explique qu'on va les installer dans un poulailler, au fond du jardin.

— Si on a des poules, on aura des œufs tout frais. C'est bon pour la santé... Et on fera des économies.

Midi à peine au clocher de l'église, mes oreilles vrillent dans un hurlement de sirène :

— Qu'est-ce que c'est ? Qu'est-ce qui se passe ?

Maman n'en sait rien. Maurice et moi, on demande à un commerçant, sur le marché :

— C'est la sortie de l'usine de freins ! C'est comme ça tous les jours, mes pt'its gars ! Midi, deux heures et cinq heures. Sauf samedi-dimanche.

Par curiosité, après le déjeuner, on décide, Maurice et moi, d'aller jusqu'à l'usine située tout juste à deux ou trois cents mètres de chez nous. De grands hangars entourés de cheminées vomissent une fumée noire par-dessus les toits. Le ciel a bien du mal à rester bleu.

La sortie de l'usine s'effectue dans un désordre incroyable. Des hommes à bicyclette se précipitent pour franchir les grandes portes. C'est la première fois que j'assiste à ce spectacle. Je demande à un ouvrier qui paraît sympathique :

— Pardon, monsieur, vous faites quoi, dans cette usine ?

— On fabrique des freins pour les locomotives.

Dommage. On aurait pu voisiner avec une usine de berlingots...

La fumée qui sort des cheminées devient plus dense et plus compacte. Une odeur de soufre nous fait tousser. Maurice me prend par le bras :

— Viens, tirons-nous, ça devient dégueu !

Maurice a raison, il vaut mieux décamper. On traverse le boulevard pour déboucher devant un petit bois protégé par des barrières de béton. C'est bien, un peu de verdure en face d'une usine.

Et hop ! Tel Tom Mix grimpant sur son cheval, on enjambe les barrières. Ce petit bois est une véritable salle de jeu. On y trouve même un ballon !

— Tu fais le goal, et après on échange.

Maurice pose le ballon de foot par terre et me désigne deux grands arbres qui serviront de buts. Je me concentre, souffle dans mes mains, en me balançant d'une jambe sur l'autre. Celui-là, il ne passera pas, il ne passera pas, il ne pass...

Vacarme assourdissant. J'ai tourné la tête au dernier moment.

Un — zéro.

Maurice aussi a l'air déconcentré.

— Qu'est-ce que c'est que ce bruit ? T'as entendu, c'est dingue !

On ramasse nos manteaux vite fait. Maurice tient le ballon sous son bras. Derrière des buissons en contrebas, des gars de l'usine déchargent des déchets dans une poussière noire effrayante. Ils repartent en discutant joyeusement. Le calme revient. On n'ose pas s'approcher, toujours planqués derrière notre haie.

Il nous faut un peu de temps pour apercevoir une bande de garçons qui envahissent le terrain, fouillant le tas de déchets avec ardeur. Nous les voyons en sortir des petits morceaux brillants sur lesquels ils soufflent avant de les jeter dans un grand sac. On se regarde avec Maurice. Il me fait « oui » de la tête. On s'approche. En retrait de ceux qui fouillent se tient, debout sur un tronc, un garçon plus âgé, peut-être quinze ou seize ans. Il est vêtu d'un bleu de travail comme ses yeux. Il a des cheveux vraiment très noirs et des lèvres minces. Ce type est un vrai sauvage. Il ne parle pas, il hurle :

— Plous vite ! Vous dormez ! Qui m'a foutou une bande de fainéants pareils !

Maurice sourit :

— On en a trouvé un qui est encore plus étranger que nous !

Je n'ai pas le temps de lui répondre, parce que le grand type a cessé de gueuler. Il nous a vus. Il saute de son perchoir et s'amène en disant :

— Yé né vous connais pas... Que voulez-vous ? Ze n'embauche plous. Zé pas bisoin d'estrangers.

Je rêve ! Ce mec qui parle avec un accent venu d'ailleurs nous traite d'étrangers ! Maurice ne se laisse pas impressionner :

— Ta gueule ! D'abord, on n'est pas des étrangers ! Tu fais ce que tu veux, on t'a rien demandé. On est libre, nous, on ne travaille pour personne ! Pigé ?

Oui, il a sûrement pigé.

Il fait un signe à trois dc ses copains qui nous encerclent. J'en veux à mon frère. Dans quelle embrouille il nous a mis, avec son sale caractère !

Grognement menaçant derrière moi.

Woswos.

Nous ne l'avions pas emmené avec nous. Il nous a retrouvés.

Il ne cesse de me surprendre !

Lui, si calme et si trouillard d'habitude, montre les crocs d'un air méchant. Comprend-il qu'on est mal barrés ou est-il d'une humeur massacrante parce qu'on l'a oublié à la maison ?

— Faites attention, dis-je, il est dressé pour attaquer.

La déroute.

Les gars n'attendent pas la permission de leur chef pour se tirer en courant.

Woswos me regarde tout joyeux. Je me dis que si l'un des types revient et le voit tirer la langue en donnant la papatte, on est bon pour la raclée.

Nous voilà maîtres de la place. Maurice inspecte déjà les lieux, s'attardant sur les sacs abandonnés par l'ennemi.

— Tiens, ils nous ont laissé un petit souvenir. On l'embarque.

J'essaie de le soulever, impossible, bien trop lourd pour moi.

— Maurice, qu'est-ce que c'est ? Qu'est-ce qu'on va en faire ?

— T'occupe, si c'est bon pour eux, c'est bon pour nous !

Il ne veut même pas savoir ce que contient ce sac. Il le soulève, le bloque sur ses épaules, mais ne s'écroule pas. Woswos et moi le suivons, prêts à l'aider. Il zigzague un peu, mais la victoire donne des forces !

Arrivés chez nous, on fait l'inventaire.

Papa intervient :

— Des morceaux de cuivre et de laiton ! Où avez-vous trouvé tout ça ?

On ne sait pas trop comment lui dire. Nos chaussures sont noires, recouvertes de cette suie qui retombe un peu partout dans Freinville. Il faut bien qu'on s'explique...

Maman nous regarde, perplexe :

— Bon, c'est pas grave, mais ce sac, il faut le rendre à son propriétaire. On n'est pas des voleurs. Nous sommes bien d'accord ?

De toute façon, son contenu n'a aucun intérêt :

— Oui, bien sûr, à condition qu'on retrouve le type à qui ça appartient.

Pas besoin de chercher bien loin. On vient à peine de finir de déjeuner qu'on le voit s'approcher de la grille du jardin et nous faire signe. Il n'a pas l'air d'avoir de mauvaises intentions.

Mais bon. Prudence.

On commence par discuter à travers la grille :

— Béné. Yé sais qui vous avez lès saco, on peut s'arranger, qué voulez-vous en échange ? Yé vous donné mon lance-pierres. C'est ouné armé terrible pour tirer les zoisseaux.

Maurice regarde l'objet, un simple morceau de bois taillé en Y avec un élastique attaché par deux lanières de cuir aux branches de l'engin :

— On tue pas les oiseaux, finit-il par dire. C'est pas

notre truc. On va te le rendre ton sac, mais on voudrait savoir ce que vous faites de tous ces bouts de cuivre qui ne servent à rien.

Grand sourire :

— C'est vrai, vous né savez pas à quoi ça sert ? Béné yé vais vous le dire. C'est simple, lé couivre ça vaut de l'arzent. Yé lé vends au chiffonnier. Il passe tous les vendredis. Vous comprenez ?

Quand il s'agit de blé, faut pas nous expliquer longtemps. Pour un peu, on l'aurait gardé, son sac. Subitement très intéressé, Maurice l'invite à entrer dans le jardin. Le type nous dit s'appeler Rocco. Les autres, ceux qui l'accompagnent, ce sont ses frères. Il nous explique que sa famille et lui ont fui l'Italie pour venir en France quand Mussolini a pris le pouvoir. Ils ont tous passé la frontière à bord d'un camion transportant des sacs de blé dans lesquels ils étaient cachés.

Je sens qu'on va devenir les meilleurs amis du monde. Ce qui nous rapproche, c'est sa fuite en famille de l'Italie fasciste. Je ne peux m'empêcher de penser à mes parents qui, eux aussi, ont dû fuir les pogroms. Ils ont quitté leur pays parce qu'ils risquaient d'être tués, bêtement, juste parce qu'ils étaient juifs. C'est ce que Papa appelle l'intolérance. Dans le fond, l'histoire de Rocco, c'est un peu la nôtre...

17

Rocco est venu aujourd'hui avec sa sœur Nina. Je la trouve très chouette, même si c'est une grande. Maman leur fait un café et nous discutons un moment avant d'aller visiter le fond du jardin où est installé le poulailler. Les canards pataugent dans la petite mare que Papa a creusée. Ceux-là, ils sont mignons. Les oies, c'est autre chose. D'abord, c'est très gros et ça fait beaucoup de bruit. Ça me fout les pétoches. On peut guère s'approcher du poulailler sans qu'elles aient envie d'en avertir les voisins. Ça compense un peu avec Woswos, parce que lui, c'est plutôt le genre à laisser entrer tout le monde dans le jardin. Quant aux poulets, je suis très déçu. C'est vraiment sans intérêt, comme bestioles. De temps en temps, le chien leur court un peu après, quand il entre derrière nous dans le poulailler. Maurice dit que ça leur fait de l'exercice.

En revenant vers la véranda, je regarde ce beau jardin qui est notre domaine. Nina me fait un peu penser à Blanche, en plus vieille. J'ai toujours la gorge serrée quand je pense qu'elle est dans un hôpital et qu'elle doit vraiment pas rigoler tous les jours. Dans la lettre que j'ai reçue d'elle, il y a une semaine, elle n'avait pas un super moral. Je lui écris très souvent, bien sûr, mais ça n'est pas pareil.

Rocco propose d'aller se balader dans les environs. Bonne idée. Pas très loin de chez nous, il y a une guinguette, *Au Quatorze Juillet*. J'explique fièrement à Nina :

— Celle-là, c'est la plus belle fête. A l'école, on nous a dit que c'est un symbole, que c'est la Révolution... C'est l'abolition des privilèges. C'est grâce au 14 Juillet que sont nés les Droits de l'homme.

— Non, monsieur, non !

Ça, c'est sûr, dès que Maurice me voit avec une fille, il ramène sa fraise :

— L'abolition des privilèges, c'est le 4 août. Et la déclaration des Droits de l'homme et du citoyen, c'est le 21. Je le sais, parce que c'est la dernière compo qu'on a faite avant de partir. Le 14 Juillet, c'est la prise de la Bastille, qui était une prison du roi. Parfaitement.

Ils se marrent tous et Maurice rajoute :

— La science, c'est comme un parachute, quand on n'en a pas, on s'écrase.

De toute façon, je m'en fous de ces histoires.

Je réponds même pas, parce qu'il a l'air sûr de lui. Il vaut mieux parler d'autre chose. La guinguette, c'est plus rigolo. C'est la première fois que je vois un endroit comme celui-là. La salle déborde de tables jusque dehors, au bord de l'eau. Des gens mangent, d'autres dansent déjà devant l'estrade sur laquelle jouent trois musiciens. Il y en a un qui tient un instrument bizarre, comme un gros soufflet sur lequel il pianote. On reste un moment plantés là à écouter la musique.

— C'est comme ça tous les dimanches ? demande Maurice.

— Si... si, il y a dé l'ambiance... Dé la miousique...

On continue notre balade pour pousser jusqu'au canal de l'Ourcq. L'eau n'est pas bien bleue, naturellement, mais j'adore ce coin. Derrière, c'est la voie ferrée, à cause des livraisons à l'usine. On a de la chance, au moment où on arrive, une péniche passe, presque enfoncée complètement dans l'eau à cause des gros tas de sable qu'elle transporte. Ça ne vaut pas les trains du pont Marcadet, bien sûr, mais c'est chouette quand même. Nina me dit :

— Tou vois, Giuseppe, à Venise c'est comme ça partout dans la ville.

Ça au moins j'en suis sûr, Anna me l'a dit.

N'ayons pas peur de la jouer informé :

— Oui, c'est une ville très romantique, qui va si bien avec le violon !

Elle rit. J'aime bien... Quand une fille a le sourire, ça la rend plus jolie.

— Tu sais, Nina, quand tu ris, tu as les yeux qui brillent.

Peut-être qu'elle veut me faire plaisir :

— C'est la mémé sose per toi.

C'est marrant. J'ai jamais pensé que pour un garçon, ça pouvait faire pareil...

Maurice et Rocco marchent tout en bavardant. Je

n'entends rien de leur discussion. Woswos va d'un groupe à l'autre, la queue en l'air. Il a vraiment bon caractère, ce chien. La nuit commence à tomber, il faut rentrer. En revenant sur nos pas, on repasse devant la guinguette, tout éclairée de petites lumières de couleurs. C'est très gai, les vacances à Freinville, plus qu'à Paris !

Mon père, Henri et Albert viennent tout juste d'arriver. Nous devons donc raconter notre journée dans le détail. Ce qui passionne Albert, c'est le *Quatorze Juillet*. Il interroge Maurice :

— Dis-moi, tu as vu des belles filles ?

— Il n'y avait que ça, des belles filles. Des comme ça, j'en ai jamais vu.

Moi non plus. Des comme celles-là, j'en ai pas vu.

J'ai rien dit.

J'ai préféré bavarder avec mon père. Je suis drôlement content qu'il soit là. Anna aussi semble heureuse, la famille est presque au complet. Seules mes deux sœurs aînées sont absentes pour cause de bal. Ça fait bouder Esther qui est trop jeune pour avoir la permission d'y aller.

— T'inquiète pas, lui dit Henri en mettant son bras autour de ses épaules, tu es encore trop jeune pour aller danser... Mais, si tu es bien sage, si tu fais la vaisselle ce soir et demain, on t'emmènera au *Quatorze Juillet*.

Le bide.

Réaction immédiate :

— J'en ai rien à faire de cette guinguette pour débiles. C'est avec mes sœurs que je voulais sortir, pas avec vous !

Marrant. Quand elles sont ensemble, elles n'arrêtent pas de se chamailler. Mais elles ne peuvent pas se passer les unes des autres. Un peu comme Maurice et moi.

Bizarrement, elle aide Maman sans qu'on ait besoin de lui demander.

18

Le lendemain soir, Henri et Albert s'habillent chic, costards, cravates, chemises blanches. Toute la panoplie. Ça n'étonne personne, on sait qu'ils doivent aller à la guinguette. Esther descend avec une robe verte pleine de plis et resserrée à la taille. Elle a mis un ruban vert dans ses cheveux et le châle noir de Maman sur ses épaules. Pour la taquiner, mes frères font semblant de partir sans elle. Elle marque le coup et s'énerve. Je la regarde. C'est quand même dingue :

— Hier c'était une guinguette pour débiles ! Si tu vas avec eux, t'en feras une de plus. C'est fou, les filles savent jamais ce qu'elles veulent.

Je sens une main qui se pose sur mon épaule :

— Détrompe-toi, Yossélé. Un femme sait toujours parfaitement ce qu'elle veut.

Il a l'air d'en connaître un rayon, mon père.

Henri et Albert ne disent rien mais je sens qu'ils sont bien d'accord avec moi. Maurice m'abandonne pour un cinéma avec Rocco. Dans le fond, c'est pas plus mal comme ça. Je vais écrire à Blanche.

D'un coup, Henri me soulève et propose :

— Et si on emmenait Jojo avec nous ? C'est un homme, maintenant !

Maurice va faire une drôle de tête quand il saura que je suis allé au bal. Esther fait remarquer que ça n'était pas la peine de s'être donné tant de mal à aider Maman si finalement tout le monde y va. Mais Henri lui jette un regard qui la fait taire et nous voilà partis.

On prend une table dans le jardin, face à l'orchestre qui commence à jouer. Albert m'explique qu'il y aura des valses musettes et des chansons populaires. Tant mieux, je suis un spécialiste. Mes frères commandent une bouteille de vin, du Montbazillac.

— Ces messieurs seront contents, dit le garçon, et pour le jeune homme, qu'est-ce que ce sera ?

J'ai demandé un diabolo-grenadine que j'avale

presque d'un trait. Henri et Albert partent danser avec des filles que je ne trouve pas formidables. Oh bien sûr, elles sont bien habillées. Je préfère celle qui a la robe rouge avec les sandales pareilles, que l'autre, qui est en blanc, et dont la robe est bien trop serrée. Franchement, je trouve ça gênant de danser avec des filles qu'on ne connaît pas et qu'on n'a même jamais vues.

Esther est invitée par un ami d'Albert qui nous a rejoints. Je vois mon frère qui les surveille du coin de l'œil. C'est pas rigolo de se retrouver tout seul à table. Les gens me regardent. Ils doivent se demander quels sont les parents indignes qui n'ont pas fait garder leur enfant pour aller danser. J'essaie de prendre l'air habitué et relax. J'y suis, j'y reste.

Entre chaque danse, Henri et Albert viennent s'asseoir pour boire un coup.

— Elle m'énerve, à se trémousser comme ça en dansant !

— Plains-toi ! La mienne louche presque, je ne sais pas comment je dois la regarder ! Le plus veinard, ici, c'est Louis : il danse avec la plus belle. L'ennui, c'est que c'est notre sœur...

Ils se marrent et se reversent à boire. Ça a l'air bon, leur truc. Albert me demande :

— Tu veux goûter ?... En l'honneur de ta première soirée d'homme !

Tu parles ! Autant demander à un aveugle s'il veut voir clair ! J'attends que ça. Je tends mon verre. Henri, toujours gentil, me dit :

— Attention Jojo, c'est peut-être bon, mais pas pour les enfants.

Un enfant ! Est-ce qu'il voit un enfant quelque part ? Je le regarde bien en face, droit dans les yeux, comme je l'ai vu faire au cinéma et par Maurice :

— T'occupe... Si c'est bon pour vous, c'est bon pour moi !

Mes frères se regardent en souriant. Sans doute admirent-ils mon assurance. Albert se penche vers

Henri pour lui murmurer quelque chose à l'oreille. Ça m'énerve :

— Alors, tu verses ou tu verses pas ?

Albert ne se fait pas prier et me sert un grand verre. Je n'en demande pas tant. Moi, ce que je veux... c'est juste goûter... Je commence par tremper timidement mes lèvres. C'est doux, c'est sucré, un vrai goût de miel. Cette première gorgée coule dans ma gorge et ça chauffe un peu. Je me régale. Quel hypocrite cet Henri ! Il voulait me faire passer à côté du bonheur ! Et voilà, je finis mon verre.

— Encore ! dis-je avec fermeté.

Sans dire un mot, Albert remet ça. Maintenant que je connais, je vais y aller tout doux, comme mes frères. Les valseurs tournent et tournent. Ils n'en finissent pas de tourner. Comme j'aimerais en faire autant ! J'ai une furieuse envie de danser. Je termine mon deuxième verre. C'est pas mal pour un jeune qui débute.

Coup d'œil à droite... coup d'œil à gauche.

Cette fille brune, pas très loin, c'est sûrement Blanche, qui est venue me voir. Elle a dû sortir de l'hôpital. Il faudrait que je lui présente Nina... Je ne sais pas trop pourquoi, mais j'ai la tête qui commence à tourner un peu. Je suis drôlement content de voir Blanche. Elle ne m'a pas vu, il faut que j'aille lui dire qu'on est là. Je me lève, mais c'est difficile, parce que le plancher s'incline dans tous les sens. C'est bizarre, cette impression de jambes molles. La rivière n'est plus très droite non plus...

Cette barre qui m'appuie sur le front...

Ça me fait fermer les yeux.

J'ai l'impression que ma tête va exploser. Vivement que je parle à Blanche.

Pourquoi les gens s'écartent-ils devant moi ?

Je m'accroche à une table mais Blanche a disparu. J'ouvre les yeux et je hurle devant une grosse bonne femme qui me tapote les joues avec une serviette humide. Je ne sais plus où j'en suis.

Allongé sur deux chaises, je n'arrive pas à parler...

J'aperçois Henri et Albert qui me regardent en rigolant. C'est un cauchemar de voir ces deux imbéciles en double. Je veux partir ailleurs, ne plus entendre tout ce monde qui parle, qui bouge autour de moi.

Rentrer à la maison et dormir...

Mieux vaut fermer les yeux car c'est horrible de voir l'orchestre à l'envers. C'est encore pire ! J'entends distinctement la voix d'Henri :

— Ça va lui faire du bien, laisse-moi faire !

De quoi parle t-il ?

Compris.

D'un verre d'eau que je reçois en pleine figure.

Je commence à regretter la grosse bonne femme et ses serviettes humides. On s'habitue vite aux bonnes choses. J'ai eu droit, tout à l'heure, à un traitement de faveur.

C'est bien fini.

Albert m'aide à me relever et je prends deux baffes soi-disant pour me remettre les idées en place. Il paraît que c'est ce qu'il me faut. En me prenant chacun une main, ils me traînent jusqu'à la sortie.

Je respire enfin le bon air de Freinville...

Je me sens mieux. Henri rigole :

— Attends, ça c'est la cuite. Demain, c'est la gueule de bois !...

Je voudrais courir pour ne plus les entendre. J'ai les joues qui me brûlent. J'essaye... trois pas et je m'écroule... Ils se marrent tant qu'ils peuvent.

— Qu'est-ce qu'on fait ? On l'abandonne ou on le porte jusqu'à la maison ?

— On le porte à la maison. Il est de la famille, après tout. Allez, mon Jojo, viens ici !

Je me sens soulevé dans les airs. Mon frère Albert me porte sur les épaules. C'est mieux au niveau des jambes. La mauvaise idée, c'est la tête en bas : ça me donne envie de vomir.

Ni une ni deux.

Toc, bien fait. J'en ai mis sur le pantalon d'Albert

que ça ne fait plus rire du tout. Henri me soutient au-dessus du fossé en me parlant doucement :

— Allez, vas-y, c'est ce que tu peux faire de mieux. Plus tu rendras, moins tu seras malade demain...

Il me reprend dans ses bras pour les derniers mètres. J'aperçois Anna qui s'avance vers moi en poussant un cri :

— *Ay ! gewalt gewalt*[1].

A quoi bon crier au secours ? De toute façon, maintenant, c'est trop tard. Je fais un effort pour lui sourire. Elle interroge Henri et Albert. Mon père réveillé par tous ces cris arrive en enfilant un peignoir. Maman commence à soigner mes genoux. Je me suis fait mal en tombant. Esther arrive. Louis l'a raccompagnée.

Je commence de comprendre que, jusqu'alors, je n'avais jamais vu mon père en colère. A mon tour de sourire. Je savoure :

— Non, mais c'est pas possible ! Un enfant de cet age ! Vous auriez pu me le tuer, mon Yossélé... Il allait parfaitement bien, et regardez dans quel état vous me le ramenez ! Comment peut-on vous faire confiance ?

Henri et Albert n'en mènent pas large. Bien fait.

— Deux verres de vin, ça n'a jamais tué personne... Il n'a pas voulu nous croire, on lui a dit que le vin, c'est pas bon pour les enfants.

L'autre grand dadais en rajoute :

— C'est lui qui a voulu... Il a fait un scandale, il a insisté. C'est une bonne leçon ! Il n'est pas près de recommencer !

J'ose espérer que mon père ne croit pas un mot de ce qu'ils disent. Maurice, qui vient tout juste d'arriver, me regarde et éclate de rire. Il a un rire marrant, mon frère. Un rire qui fait rire tout le monde. C'est Esther qui démarre la première. Mon père la regarde, me jette un regard en biais. Je vois que lui aussi retient maintenant une envie de rigoler.

1. Malheur à moi ! en yiddish.

Moi, j'ai sommeil, je veux dormir, ne plus les voir, ne plus les entendre, mais je n'ai même plus le courage de me traîner jusqu'à mon lit. Maman me prend dans ses bras. Ma douce Anna, qui, elle, ne rit pas. J'ai la tête dans son cou, et je sens son odeur que je reconnaîtrais entre mille...

Elle me murmure des choses à l'oreille en yiddish, en me déposant sur mon lit. Je sens qu'elle m'enveloppe d'une couverture et je m'endors.

Sommeil agité.

Mon diabolo-grenadine devient du Montbazillac et je crie parce que je ne veux pas y goûter. Je n'en veux pas, mais ils sont là, Henri et Albert, et ils me forcent, ces deux andouilles. Je me réveille en sursaut au moment où ils m'obligent à boire.

Il fait nuit. Je me glisse hors de mon lit. Tout est calme, il n'y a plus un bruit. Dans le jardin, je me traîne jusqu'à la pompe pour m'asperger d'eau. Je retrouve un peu mes esprits. Quelle journée ! On s'en souviendra !

Je rentre sur la pointe des pieds, pour ne réveiller personne. C'est compter sans Woswos qui me fait la fête en jappant joyeusement. Je n'ai pas le temps de faire ouf. Ils sont tous là... Papa, Maman, Henri, Albert, Esther et Maurice. Ils s'inquiètent :

— Jojo, ça va ?

— Comment te sens-tu ?

— Tu n'as mal nulle part ?

— Pourquoi tu t'es levé ?

— Tu as besoin de quelque chose ?

C'est rassurant de les voir tous autour de moi. Je suis ému et je m'en veux d'être la cause de leur inquiétude. C'est un peu de ma faute, j'ai voulu faire comme les grands. C'est nul. Finalement, il y a un temps pour tout... Je souris :

— Ça va... ça va, j'étais sorti pour prendre l'air. Je me sens bien, maintenant.

Maman me prend dans ses bras et me serre très

fort. Je pose ma tête sur sa poitrine. Au fond, c'est du bol d'être né dans une famille comme la mienne. Ça me donne un peu envie de pleurer. Mais depuis ce soir, je suis un homme, alors faut pas.

19

Une fois encore, on se fait avoir. Dernière vacherie d'Henri, avant de rentrer à Paris, il a fallu qu'il nous inscrive à l'école. On pensait que c'était terminé pour cette année. Non ! Lui, il faut toujours qu'il s'occupe de ce qui ne le regarde pas ! De quoi se mêle-t-il ? On se le demande !

Ça nous fait tout drôle de nous retrouver dans cette école. Le dépaysement total. La cour est plus grande que dans le dix-huitième. Mais c'est pas plus gai. Les maîtres ont l'air gentil, mais j'aimais bien Mademoiselle Stof. On nous fait mettre en rang dans la cour, pour l'appel. Les autres nous observent, méfiants. Maurice est du côté des grands. Je le regarde, de loin. Il me cherche lui aussi des yeux. On se retrouve à la récré. C'est pas évident, ici. L'école est divisée en plusieurs clans. D'un côté les vrais Français originaires du coin et, de l'autre, tous les enfants de réfugiés politiques espagnols et italiens. Il paraît que ça va très mal dans ces deux pays, alors ça fait du monde dans nos écoles. Mais, souvent, ils ne sont pas acceptés par les autres types, parce que leur français est léger léger.

Quant à nous, on va d'un groupe à l'autre et c'est pas plus rigolo. Quand on veut jouer avec les uns, on se fait chambrer par les autres et inversement. Des fois, même, ça castagne. C'est vrai qu'il y a des trucs qui sont durs à avaler :

— T'as vu les youyous, ils ont déjà choisi leur camp !

Nous, on n'a rien choisi du tout. Ici on ne connaît personne, alors on n'a pas de préférences. On va vers ceux qui nous semblent les plus sympa. Mais ça plaît pas aux autres. Du style :

— T'as vu, ils jouent avec les Ritals !

C'est peut-être ça qui nous rapproche : ritals et youyous, c'est un peu la même chose. On ne fait pas de vagues, on laisse pisser. On en a autant à leur service.

Maurice, qui est un peu plus grand qu'eux, ne leur envoie pas dire. Il répond du tac au tac cette phrase qui fait partie de sa culture :

— Les chiens aboient... la caravane passe !

Des fois, il change de disque :

— La bave du crapaud n'atteint pas la blanche colombe.

Tout ça n'est pas bien méchant. Ça me fait marrer :

— Dis, faut savoir, on est la caravane ou la blanche colombe ? On peut pas être les deux à la fois !

Il lance :

— C'est comme ça m'arrange, quand je veux, comme je veux, où je veux.

Ça, c'est plutôt vrai et un peu pour tout. Pour l'école, par exemple. Il faut avouer qu'on n'y va pas très souvent. On sèche des journées entières. On y va vraiment quand il pleut, quand on n'a rien d'autre à faire. On a tellement de choses à découvrir ! Anna reçoit bien quelques lettres de l'école demandant les raisons de nos absences mais, comme elle a quelques difficultés à lire le français, Maurice et moi, on est toujours prêts à lui traduire :

— C'est rien, ils veulent savoir combien nous sommes à la maison...

Ou encore :

— C'est pas grave, c'est pour demander si l'on veut aller au catéchisme, il faut renvoyer le papier si tu es intéressée.

Bien sûr, comme il n'est pas question pour nous d'aller au catéchisme, Anna ne répond pas. Il n'y a donc jamais de problème de ce côté-là. Pour le reste,

Maurice et moi, on se débrouille pour baratiner ce qu'il faut aux maîtres...

C'est pas difficile. Il suffit que Rocco nous prévienne que l'usine de Freins prévoit un déchargement de déchets pour le lendemain et l'école est supprimée. On s'organise, nos sacs de jute sur l'épaule ou jetés dans la brouette et nous voilà partis sur les chemins de la fortune. Une véritable expédition. Depuis notre arrivée, l'atmosphère dans notre rue s'est détendue. Nous sommes devenus copains avec presque tous les garçons de notre âge. Des fois, on les croise alors qu'ils partent à l'école. Ils nous font un petit signe de la main.

Quand on arrive enfin dans le bois de Freinville, commence alors une attente qui me paraît interminable. On retient notre souffle, on parle tout bas. Il faut pas être repérés avant que le camion-benne n'ait déversé son précieux chargement. Dès qu'il a disparu, c'est la ruée... On est presque toujours les premiers et on se bat pour le rester. Si par hasard une bande adverse s'avise de vouloir partager le gâteau, elle prend tous les risques. Il y a parfois de la bagarre. Mais on est les meilleurs. Plus nombreux et mieux organisés.

Après quelques discussions, pour la forme, on abandonne la place à ceux qui l'attendent. On fait dans la modestie. On gagne aujourd'hui, mais demain...

L'ennemi a les yeux braqués sur nous. Il suffit d'un rien pour que la bagarre reprenne. Nous passons devant eux, les sacs lourdement chargés, à deux pour traîner la brouette. Comme on a tout ramassé, ils n'ont rien à perdre, alors on donne dans le repli discret.

Pas un mot.

Mais quand on franchit la barrière blanche qui délimite la sortie du bois de Freinville, alors là, on se marre vraiment un bon coup !

On va directement chez Rocco. C'est pas bien

grand chez lui, une baraque en bois, sur un terrain vague, le tout encadré d'un grillage. Je compare, avec notre « résidence secondaire ». Chez nous, même si on n'a pas l'électricité et l'eau courante, c'est quand même autre chose. Il y a bien plus d'espace. Notre jardin est un vrai jardin avec de beaux arbres fruitiers qui vont bientôt être en fleurs. Je l'adore, il est extraordinaire. Jamais je n'aurais pensé qu'on en aurait un, un jour !

Sept... et huit !

Rocco recompte. Il est réglo, notre associé. Pas de problème. Ils sont six, nous deux, on fait huit parts, on tire au sort.

Maurice intervient :

— Dis-moi, Rocco, combien il t'en donne le chifftingue pour tout ça ?

Rocco répond :

— Ça dépendé des journées. Yé loui faiss confiance. Quand il est bien louné on a des fois un franc vingt ou vingt cinquo.

Maurice me jette un regard et crache :

— Rocco, maintenant, c'est fini, toi et tes fratello, vous ne serez plus exploités par le chifftingue. Tu ne vendras plus ton cuivre à bas prix. On t'achète tout à deux francs.

La mâchoire de Rocco reste suspendue dans le vide. Maurice réussit son effet.

Tout ça, c'est grâce au fiancé de ma sœur, Georges. Il travaille dans la récupération des métaux. Des fois, mes sœurs sont bien inspirées. C'est rare, mais ça arrive. Il ne faut pas désespérer, la preuve : Georges, qui est vraiment un type formidable. Il sait tout, enfin presque, et quand il nous raconte des trucs, c'est passionnant. En plus, il a une super voiture, une Rosalie. Elle est un peu carrée. Il paraît qu'elle a un moteur flottant. A l'intérieur, c'est tout en velours. Tout fait du bruit sauf le Klaxon. C'est rigolo, ça fait « Rose dans sa Rosalie ». Quand on rencontre Georges pour la première fois, on est épaté. Je crois que sa proposition de nous racheter nos morceaux de cuivre plus cher, c'est pour nous faire plaisir ! Ce qui est vraiment très chouette, parce que ça va nous permettre d'aller plus vite en Amérique.

Rocco n'en revient pas. Pour un peu, il nous embrasserait. Il est midi, et il ne veut pas qu'on s'en aille. Il nous fait des pâtes, des spaghettis à l'italienne, *al dente*. C'est vachement bon. Y'a du fromage qui fond partout. J'aime bien Rocco. Il est sûrement plus doué pour la cuisine que pour les affaires. On se marre bien parce que son père nous parle de son pays, du fascisme, de plein de trucs qu'on pige pas du tout. Il mélange le français et l'italien, ça fait de la vraie purée. Mais ça ne fait rien, il semble tout heureux de voir qu'on l'écoute.

A quatre heures et demie, on rentre à la maison, juste pour la sortie de l'école. On planque nos sacs dans la cave. Bonne journée. Bon boulot. Anna ne se doute de rien, on fait semblant pendant un petit quart d'heure de faire nos devoirs. Maman est merveilleuse, elle croit tout ce qu'on lui dit. Toujours prête à tout nous pardonner, à nous trouver toutes les excuses, même quand y'en a pas. Bon, on n'abuse pas non plus, et on se tape les corvées sans grogner. Tous les jours, on met la grande bassine de cuivre sur la brouette et, un quart d'heure après, ils ont tous de l'eau potable à la maison.

Dès que ces imbéciles de poules ont pondu et qu'elles chantent pour nous le faire savoir, on vient faire une razzia sur les œufs. On leur file du grain en criant « petit, petit, petit ! » et souvent, il faut faire gaffe que ça soit pas toujours les mêmes qui bouffent ! J'aime bien rapporter le panier d'osier plein d'œufs. Je vois sur le visage de ma mère qu'elle est heureuse. Elle nous sourit et, pour que son bonheur soit parfaitement partagé, elle nous dit :

— Venez les enfants, je vais vous montrer comment je mangeais les œufs en Russie.

Elle prend une épingle et, délicatement, perce la coquille de l'œuf :

— Joujou, aspire, tu vas voir comme c'est bon.

Je ne me le fais pas répéter. Elle en sait des choses mon Anna ! Son idée de faire deux trous dans la coquille, c'est génial et c'est un vrai régal. Du coin de l'œil, j'aperçois Maurice qui en fait autant. Maman nous regarde tendrement en murmurant :

— *Goldene kinder...*

A force de nous le répéter, on va finir par le croire ! Je la serre dans mes bras :

— C'est toi qui es une Maman en or !

Maurice l'embrasse aussi. C'est peut-être ça le grand bonheur. J'espère que ça va durer toute la vie.

20

C'est dimanche. Georges et Rose arrivent comme prévu dans la « Rosalie ». Nous chargeons tout notre trésor dans le coffre de la voiture. Georges nous paie : quarante-deux kilos à deux francs cinquante. Plus de cent francs ! Henri et Albert nous regardent en rigolant.

Dans l'après-midi, on remet à Rocco la part qui lui revient, plus de soixante francs. L'affaire est bonne. Sur le chemin du retour, je me réjouis avec Maurice :

— T'as vu ! ? On a plein de fric !

C'est vrai, on met pas mal d'argent de côté. Deux ou trois représentations place du Tertre, plus le cuivre, on commence à amasser sérieusement, même si à Freinville j'oublie un peu mes grands projets. Partir en voyage, voir le pays des cow-boys et des Indiens, le Grand Nord de Jack London dont je dévore tous les livres. Etre chercheur d'or, parcourir les grands espaces... Emmener Blanche vivre très loin d'ici... Lui faire découvrir les plaines du Far-West et trouver un filon. Le rêve !

Genre Tom Mix ou Opalong Cassidy.

Je ne me laisserai pas impressionner par les gangsters qui viennent faire sauter la banque. Blanche sera fière de moi. Enfin, j'espère, parce que pour l'instant, je me demande si elle ne m'a pas un peu oublié... Ça fait la deuxième lettre que je lui envoie et à laquelle elle ne répond pas. Je suis sûr qu'elle peut rencontrer là-bas un type très bien. Il me l'enlève et hop ! Qui se retrouve tout seul, comme une andouille ? C'est Jojo. Alors je vais réécrire.

Je pense à mon père qui dit toujours, quand il lui arrive d'avoir une contrariété, sûrement plus importante que les miennes :

— Dans cinquante ans, tout ça n'aura plus d'importance. Qui s'en souviendra ? Où serons-nous ?

C'est sa force. Il ramène les choses à de plus justes proportions. Essayons de faire comme lui et d'être optimiste. Blanche va se souvenir bientôt que j'existe, c'est sûr. Je commence donc, en m'appliquant, comme chaque fois :

Chère Blanche,

J'espère que tu vas bien. Moi, ça va pas mal. Avec Maurice, on travaille très dur pour gagner beaucoup d'argent. C'est formidable, bientôt on pourra partir en Amérique, comme prévu. Comment vas-tu ? Il faut que tu guérisses vite pour pouvoir nous accompagner...

Je tire la langue chaque fois que je fais un effort pour écrire bien droit et sans fautes. Ce qui fait que, quand Maurice ouvre la porte, il me surprend en pleine grimace. On aurait pu se marrer, mais le petit père Maurice n'a pas envie de rigoler aujourd'hui :

— T'en fais une gueule ? Qu'est-ce qui se passe ? La maison brûle ?

— Je me fous de la maison ! C'est notre moisson qui a disparu... Tu piges ?

Non, je ne vois pas très bien ce qu'il veut dire par « moisson ».

— Tu pourrais être plus clair ?

Il s'emporte :

— Je te parle de blé... De blé, bon Dieu ! Tu sais, ce que c'est ? C'est ce que donne la moisson ! Eh bien notre blé, notre fric a disparu ! Adieu les voyages au pôle Nord et au Far-West ! T'es à Freinville et t'es pas près d'en partir, tu piges ?

Bien sûr que je pige. Qu'est-ce qui s'est passé ? Tout se bouscule dans ma tête. Un instant, je le soupçonne. Et si c'est lui qui planquait le fric ? Très vite je laisse tomber cette idée idiote. Maurice ne peut pas faire une chose pareille. On travaille ensemble, et nos projets, on les fait tous les deux. Donc, il y a autre chose :

— On nous a piqué notre fric, tu crois ? Mais qui ?

— J'ai mon idée... Mais, pour l'instant, je n'en suis pas sûr. Si c'est eux, ils vont me le payer. On ne va pas se laisser faire !

— Eux, qui, ça, eux ?

— Enfin, tu sais bien de qui je parle ! Ne fais pas l'imbécile.

— Je ne fais pas l'imbécile... Qui peut avoir tapé notre blé...

— Jojo, des fois, je me demande si t'es pas un peu simplet... Ou alors tu le fais exprès pour m'énerver !

Non, j'ai beau retourner le problème dans tous les sens, je ne vois pas. Je ferais sans doute un très mauvais flic. Comme je ne dis rien, Maurice s'énerve :

— C'est pourtant facile, qui a vu, qui a su qu'on avait gagné cent balles ? Papa, Maman, Esther, Henri et Albert. Ça n'est ni Papa, ni Maman. Esther non plus : quand elle a besoin d'un truc, elle n'a qu'à demander pour l'avoir. Alors je t'écoute, qu'est-ce qui reste ? Vas-y, dis-le-moi, petit malin !

Logique.

Difficile à admettre.

Mais logique.

C'est l'évidence. La gorge nouée par l'émotion, j'avance :

— Henri ou Albert...

Maurice ne me laisse pas finir :

— Eh oui ! Bravo, t'as gagné ! C'est l'un ou l'autre, ou peut-être même les deux. Ils sont toujours en train de nous surveiller. Ils ont dû voir où je planque notre argent, et le matin de bonne heure, juste avant de repartir pour Paris, ils nous ont tout piqué. Tu vois, c'est simple.

Je suis KO. Moi, je ne sais même pas où Maurice cache notre trésor ! Je fais confiance. Si on est trahi au sein de sa propre famille ! Je tombe de haut ! J'en bafouille :

— Maurice... mais... Qu'est-ce qu'on doit faire ?

Il reprend le dessus :

— Attendre et voir venir. On finira par savoir la vérité. Pour le blé, faut pas se laisser abattre. On va se refaire en travaillant deux fois plus. Tu vas m'aider à chercher une planque plus sûre...

Au fond, j'ai de la chance d'avoir un frangin comme Maurice. Avec lui, on est sûr de trouver des solutions pour s'en sortir. C'est rassurant, parce que ça veut dire que, pour l'Amérique, c'est pas foutu. Je vais avoir pas mal de trucs à raconter à Blanche dans la fin de ma lettre.

Pendant que je recommence à écrire, Maurice fouille sous son matelas pour vérifier qu'il ne s'est pas gouré. Besoin de croire aux miracles, peut-être. Eh bien, pour une fois, on avait bien raison de douter.

On retient la leçon. La prochaine fois, on empochera plus discrètement notre blé. Pour le moment, on décide d'être discret. On ne va pas aller se plaindre aux parents, ça ne servirait à rien, et puis il faudrait expliquer comment on gagne tout cet argent. Ça ferait encore plus d'histoires.

La semaine se tire les pattes. C'est plutôt pas gai, comme ambiance. Aucun déchargement dans le bois de Freinville. On est au chômage.

— C'est pas comme ça qu'on va se refaire, commente Maurice.

N'ayant rien de mieux à se mettre sous la dent, on se farcit l'école. La nouvelle planque qu'on a trouvée, pour le moment, ne sert à rien. Maurice perd patience :

— Tu sais, Jojo, si ça continue, on va devoir demander de l'argent de poche à Maman... Ça m'énerve, j'aime pas !

— Ouais, c'est gênant...

— Il faudra qu'on fasse quelque chose contre Albert et Henri... Sinon, ils vont se croire tout permis !

— Attends, ils vont sûrement avoir des remords. Si on leur demande, ils vont peut-être nous en rendre un peu. Ce sera mieux que rien. Qu'est-ce qu'on risque à essayer ?

Maurice marque un temps.

— Rien... rien, bien sûr ! Mais faut pas rêver... Je les connais. Ils ont déjà dû tout dépenser. Tu sais comme ils sont : c'est des dingues de la mode !

Il a raison.

21

Samedi soir, une surprise nous attend à la maison. Maman nous désigne des paquets sur la table de la véranda :

— Les enfants, c'est pour vous ! C'est une surprise ! Allez-y, ouvrez !

Elle est tellement heureuse de nous faire plaisir ! Avant même d'avoir vu ce qu'il y a dans les boîtes, on l'embrasse pour la remercier.

Génial.

Toute la tenue assortie : chemise blanche, short blanc et les chaussettes qui vont avec. On essaie. Je regarde Maurice : il est superbe. Cette fois, rien à dire, ces culottes sont faites pour moi. Pour une fois, je ne me tape pas celles de la génération du dessus.

A la page, le mec !

Et toc !

Maman, ravie, se tourne vers Esther :

— N'est-ce pas qu'on dirait des petits anges... Ils sont beaux, comme ça, tout en blanc.

— Pourvu que ça dure... lance Esther.

Sans illusions, la mère Esther.

On peut dire que la semaine se termine pas trop mal, bien que la récolte de cuivre rouge soit nulle. On aura au moins récupéré des fringues sympa.

Demain, c'est dimanche. Papa, nos chers grands frères, Rose et quelques-uns de leurs amis vont débarquer.

Avant de nous coucher, Maman prépare avec le plus grand soin nos tenues de fête. Elle veut que toute la famille nous admire dans nos beaux habits tout blancs.

Le lendemain on se fait une petite toilette rapide à la pompe du jardin et on s'habille. On est vraiment beaux ! Je fais tout comme Maurice, je m'applique à coller mes cheveux bien en arrière sans mollir sur la Gomina.

Pour passer le temps, en attendant que la famille arrive, on part se balader.

— Ça fait longtemps qu'on n'a pas vu Rocco et ses petits frères, constate Maurice. Si on allait pointer notre nez là-bas !

Moi, je pense plutôt à Nina. Ça me fait plaisir qu'elle me voie tout beau dans mon costume blanc. On arrive devant chez Rocco. On a bien fait de venir. Il est en train de sortir les sacs, et ses frères s'occupent des brouettes. Il nous accueille avec un grand sourire :

— On peut dire qué vous tombez bien ! Il y a ou oune décharge, hier soir assez tard dans la nouit. Il n'y a qué nous qui avons été prévenous. On allait envoyer Sergio vous chercher. Il n'y a pas oune minouté à perdre... Il faut y aller avant les autres !

Ça, c'est sûr, c'est pas le moment de traîner. Avec notre cagnotte à zéro, on va pas laisser le cuivre aux types de l'autre bande. La chance est avec nous. On se dépêche de suivre le mouvement. L'informateur de Rocco ne lui a pas raconté d'histoire. A l'intérieur du bois, il y a une montagne de suie toute neuve dans laquelle se devinent des éclats de cuivre qui brillent dans le soleil. Le rêve. Maurice me souffle :

— Vise un peu Jojo... En un coup, on va se refaire une santé. Tu vois, faut jamais désespérer.

— T'as raison, on a du pot d'être là au bon moment !

Le bon moment dure toute la matinée. On n'a pas le temps de rigoler, il faut fouiller tout le tas de fond en comble. Les sacs se remplissent à vue d'œil. On les charge sur les brouettes. Excellente récolte. Il faut deux voyages pour tout transporter.

— Grouille, me dit Maurice, la famille doit être arrivée ! Ils vont nous chercher !

— T'as raison, on va se faire engueuler !

Silence. Je réalise d'un coup. On est noirs de la tête aux pieds. On n'a absolument pas fait gaffe à nos costumes. Je me sens devenir vert :

— Maurice, t'as vu à quoi on ressemble ?

— Rien à foutre.

Gonflé, le frangin :

— Te casse pas la tête, le noir c'est une couleur qui en vaut une autre. C'est moins salissant et au moins maintenant y'a plus de risques. Allez, on s'arrache !

Bon. On s'arrache.

Quand même, je pense à Maman qui s'est donné tant de mal. Elle qui veut réserver une surprise à toute la famille, ellc va être servie !

— Ils vont faire une tête quand ils vont nous voir dans cet état !

— On n'a pas le choix, faut amener les sacs à la maison. Georges vient aujourd'hui. Je ne vois pas d'autre solution.

Le premier voyage se passe bien, on entre discrètement, Maman est dans la cuisine. Elle ne s'aperçoit de rien. C'est au second que les choses se gâtent. On entend un cri.

Colère et désespoir.

— *Guewalt, Gott, Guewalt*[1] ! hurle Anna.

Henri et Albert sont stupéfaits :

— Ben, bravo, fait Henri. Mais enfin, d'où sortez-vous ?

Papa s'en mêle :

— On ne peut pas vous laisser tout seuls... Avec vous, il faut toujours s'attendre à tout !

On ne peut rien dire, évidemment. Mais c'est pas juste. Si on nous avait pas piqué notre blé, on n'aurait pas été obligés d'aller chercher du cuivre un jour comme aujourd'hui ! Maurice doit penser comme moi. Il ne dit rien.

Comme d'habitude, c'est ma Rosette, toujours de bonne humeur, qui nous sauve :

— Allez, Maman... Après tout, ils sont pas si mal, en noir !

Maman nous empoigne et direction la pompe du jardin. Un moment plus tard, on est tout propres et nos vêtements sont au linge sale. On peut commencer à déjeuner. Ça creuse, les trajets avec les sacs.

Maman a cuisiné des tas de trucs que j'adore. Je me sers une pleine tournée de pommes de terre. Il faut manger si je veux rattraper Maurice. J'ai la bouche pleine quand je vois Georges se lever et faire des signes pour réclamer l'attention :

— Monsieur Joffo, j'ai bien l'honneur de vous demander la main de votre fille Rose.

Rose sourit. Elle n'a pas l'air surprise. Mon père non plus. Il réagit assez vite :

— Georges, sois le bienvenu dans la famille. J'avais quatre fils, aujourd'hui, j'en ai cinq !

Maman essuie une larme.

1. Malheur de malheur !

C'est vrai qu'on a beau s'y attendre, c'est un sacré coup.

J'avale pas tout de suite.

Mon frère Henri, tout joyeux, remplit les verres et me sert un peu de vin en me faisant un clin d'œil.

C'est malin.

On trinque pour célébrer la bonne nouvelle. Je lève mon verre en même temps que tout le monde, la gorge un peu serrée :

— *Mazel Tov !*

D'abord le départ de Blanche et maintenant Rose... Evidemment, Georges est très gentil : aujourd'hui encore, il nous achète tout notre chargement. Mais j'espérais un peu qu'il disparaîtrait assez vite, comme le fiancé de la dernière fois. Rose est ma sœur préférée, et ça va faire bizarre de ne plus l'avoir avec nous, à la maison...

22

J'adore l'été. Et, en plus, cette année, pour la première fois, nous avons un jardin. Il y a des fleurs partout, et nous passons notre temps dehors. Maman est assise dans la véranda. Je ne sais pas pourquoi elle fait cette tête. Je m'approche pour lui faire un bisou, et elle retient ma main dans la sienne...

Mauvais présage.

— Yosselé, mon chéri, écoute...

— Qu'est-ce qu'il y a Maman ?

— Yosselé... Je ne sais pas comment te le dire. Tu vas avoir du chagrin...

— Quoi ? Qu'est-ce qu'il y a ?

— Blanche, ton amie...

Coup de poing dans le ventre.

J'articule péniblement :

— Quoi, « Blanche, mon amie » ?

— Chéri, j'ai reçu ce matin tes quatre dernières lettres que Sonia te renvoie. Et il y a en plus une très triste nouvelle...

... Les dernières lettres que Sonia me renvoie avec une triste nouvelle...

... Une très triste nouvelle...

...

Non.

Non.

Je ne veux pas.

— Je ne veux pas, je ne veux pas, non...

Je pars en courant au fond du jardin. Devant le poulailler, je me laisse tomber à genoux et je pleure.

Maman arrive derrière moi et me prend dans ses bras.

— Je ne veux pas ! Pas Blanche ! Je ne veux pas ! Pas ma Blanche ! Pas ma Blanche !

Je suis secoué par d'énormes sanglots. Je ne savais pas qu'on pouvait avoir si mal... Comme si on appuyait très fort sur ma poitrine. Comme si je ne pouvais plus respirer. Plus ouvrir les yeux. Moi qui pensais qu'elle m'avait oublié ! Ma Blanche... On devait partir en Amérique et se marier... Et je ne la reverrai plus jamais.

Maurice me regarde pleurer. Lui aussi semble avoir de la peine. Je veux me coucher. Je ne supporte plus le soleil. Il faut que je dorme, je veux oublier.

Le soleil a disparu quand je me réveille avec mal à la tête. Je regarde mes lettres qui n'ont pas été ouvertes. J'ai besoin de respirer, de voir des gens, mais pas ma famille, même pas Maurice. Pourtant je sais qu'ils voudront me consoler, mais je veux entendre d'autres mots. Sans bien savoir pourquoi, je me lève sans bruit, je me faufile dehors et je me rends chez Nina. Qui mieux qu'une fille peut me comprendre ? Nina est sur le pas de sa porte :

— Giuseppé, qu'est-ce qui t'arrive ?

Il m'arrive... ça ne peut pas se dire. Blanche ne reviendra pas, il n'y a plus d'espoir.

— C'est Blanche... C'est fini. Je n'irai pas en Amérique avec elle.

Je ne vois plus Nina à travers toutes ces larmes. Je ne peux pas prononcer les vrais mots : « Blanche est morte ! » Mais Nina comprend. Elle me prend doucement contre elle et me parle de sa mère qui les a quittés, il y a trois ans. Elle m'explique que, dans sa religion, il y a la vie après la mort, que les enfants, quand ils s'en vont, c'est pour aller tout droit au paradis avec les anges du ciel. Je sais pas si c'est vrai, mais je ferme les yeux, et je l'écoute. Blanche au ciel, tout habillée de blanc, ça lui irait si bien... Je me revois assis près d'elle sur le pont Marcadet, elle danse, nous sommes à New York, nous partons pour Venise où tout le monde se balade en bateau. Nous aussi...

J'entends encore Maman me dire :

— Tu sais, elle n'a pas souffert...

J'espère qu'elle est heureuse, là où elle est. Nina m'affirme qu'elle est dans un très beau jardin avec du soleil et des fleurs partout...

Quand je quitte Nina, ça va un peu mieux dans ma tête...

Mais c'est comme si j'avais perdu une partie de moi-même.

23

L'été tire à sa fin. Tous les dimanches, c'est la fête, ils sont tous là, les copains des copains, mes frères, mon père, mes sœurs et leurs fiancés. Maman fait la cuisine pour tout le monde. Jamais je ne l'entends se plaindre qu'elle a trop de travail. Bien au contraire, je suis sûre qu'elle est heureuse de nous donner tout ce bonheur. On tâche de l'aider du mieux qu'on peut.

Ce qui n'est pas très gai, c'est de voir le poulailler se vider. Tous les vendredis soir, Maman fait venir un voisin, et c'est le massacre. Il faut ce qu'il faut pour nourrir tout le monde. J'ai bien tenté le coup :

— Peut-être qu'on pourrait en laisser, pour l'année prochaine...

Raté. Maman a d'autres projets pour la volaille :

— Te fais pas de soucis, me dit-elle, l'année prochaine on en prendra d'autres en pension.

C'est aujourd'hui qu'on regagne Paris. J'ai l'impression que ça fait une éternité qu'on est partis. Paris, sans Blanche, ça me fait un peu peur... Ici, au moins, je n'avais aucun souvenir avec elle.

Mais il faut rentrer.

Pas le choix.

Toujours le même taxi qui charge nos bagages. J'ai dans l'idée qu'on en a plus au retour qu'à l'arrivée. Et il y a encore moins de place pour mettre les jambes, parce que Woswos a largement profité de l'air de la campagne, question volume. Tout le monde vient nous dire au revoir, Rocco, les copains et bien sûr Nina qui, discrètement, essuie une larme. Il y a aussi les types de notre âge qui habitent la rue. Aujourd'hui, pour tous, nous sommes « Maurice et Jojo ». On ne nous a plus jamais surnommés les youyous. On a fait connaissance et ça s'est arrangé. Mon père avait raison. Pourtant, je me dis que ça ne va pas être facile dans la vie si, à chaque fois, il me faut trois ou quatre mois pour qu'on m'appelle par mon vrai nom.

On arrive à Paris, pas très emballés à l'idée de n'avoir qu'une journée pour préparer l'école. Mais c'est vite expédié, le plus important étant de vérifier dans la rue si les copains sont là. On n'a pas de mal à les trouver : ils sont presque tous au square Clignancourt. Marcel, Samy, le nounours et Jacquot. Je l'aime bien, lui aussi. Il est drôlement habillé avec une veste trop courte et une martingale trop haute. Ça fait rire tout le monde. Pas lui. Il a bon caractère et il a l'air de s'en ficher. On peut lui dire n'importe quoi. Il répond, de temps en temps :

— Le train de votre bêtise glisse sur les rails de mon indifférence.

Je m'éloigne cinq minutes pour une partie de billes.

Encore paumé.

Je reviens vers Maurice, qui va encore me sonner les cloches. Il est encore en plein délire. Il explique nos vacances aux copains qui font cercle autour de lui.

Incroyable, ce mec.

On dirait le copain de mon père, Lewinson. Il parle en faisant de grands gestes. On l'écoute. Il y croit. Même moi, je me demande si on a vraiment vécu tout ça. Ce n'est pas qu'il mente, il transforme. Le bois de Freinville est devenu une immense forêt peuplée d'Indiens féroces qui nous attendent à la sortie du canyon. Woswos est encore plus doué que Rintintin. Les sacs de cuivre sont transportés jusqu'à un fourgon tiré par des chevaux et, bien sûr, plus question de cuivre : on cherche de l'or.

Rien ne l'arrête, Maurice. Et, comme toujours, il me prend à témoin :

— Hein, Jojo, dis-leur comment je t'ai sauvé la vie. L'ennemi nous encerclait de partout. Jojo n'avait aucune chance de s'en tirer. J'ai envoyé le chien chercher Rocco et ses hommes. Ils sont arrivés juste à temps, c'était moins une... Vous avez de la chance d'être restés bien peinards à Paris. Parce que pour nous, je vous le dis, ça n'a pas été facile.

Il en fait un peu trop. Ça ne m'emballe pas, ses histoires. Je trouvais nos vraies vacances très bien. Le jardin, les baignades, les guinguettes, l'usinc et le bois, ça avait déjà une sacrée allure. Surtout que la plupart des copains, ils ont jamais quitté Paname. Mais Maurice, il faut qu'il insiste :

— Vas-y Jojo, faut que tu leur dises, sans ça, Marcel va croire que je lui raconte des bobards !

Bon... C'est pas pour lui faire plaisir :

— Oui... oui, on a eu de la chance. Mais vous savez bien qu'avec Maurice on finit toujours par s'en sortir.

Maurice me regarde d'un air de me dire « un peu léger ! » Je préfère ne pas comprendre. Ils ont tous l'air content, c'est le principal. C'est pas la peine d'en remettre une couche. En fait, ils sont tout simplement heureux de nous revoir.

Marcel veut nous prouver qu'il n'est pas aussi naïf. C'est bien de lui : il se régale au spectacle et, ensuite, il faut toujours qu'il ramène sa fraise :

— Maurice, arrête de faire l'andouille. C'est pas parce qu'on t'écoute qu'on avale toutes tes histoires.

Là, il m'agace.

En traitant Maurice d'andouille, c'est toute la famille qu'il insulte. Je réagis plus vite que mon frère :

— Marcel, l'andouille dans cette histoire, c'est celui qui écoute.

Marcel me fixe un moment, puis il tire Samy par la main. Demi-tour et les voilà partis, le nounours se balançant au rythme de leurs pas. Je regarde Maurice :

— T'as vu ça ? Il doit être fâché. Si ça se trouve, avec tes âneries, il ne voudra plus nous parler.

Maurice se marre doucement :

— Te bile pas, va. Marcel, demain, il reviendra parce qu'il voudra savoir la suite. Je ne lui ai pas tout dit !

Je m'en doute.

Le lendemain, on se retrouve tous au square. Je dis bonjour à la compagnie. Marcel me fait un grand sourire. Ça me rassure, il n'est pas fâché. Il me pose la main sur l'épaule :

— Tu sais, Jojo, à propos d'idiots, je voulais te dire qu'on est toujours l'idiot de quelqu'un. Certainement, ça je ne discute pas. Moi, j'ai Aaron.

Marcel se tourne vers Maurice et lui demande avec le plus grand naturel :

— Maurice, tu veux bien me raconter la suite de vos vacances à Freinville ?

24

Cette fois-ci, c'est pour de bon, c'est pas une blague, c'est du vrai. C'est un moment historique dans la famille. Personne n'arrive à y croire et pourtant c'est le grand jour : Rose se marie.

Je regarde mes sœurs se préparer. Elles se mettent sur leur trente et un. Madeleine est superbe dans une robe presque longue, en satin bleu nuit. Elle retient ses cheveux par une belle rose rouge. Esther ne se débrouille pas mal non plus. Elle aussi est magnifique, mais dans un genre très différent, parce que sa robe, d'un beau vert pâle, est bien plus courte, alors ça fait moins bal. Elle a une écharpe du même tissu autour du cou et un très joli chapeau avec une voilette qui lui donne des airs de mystère. Quant à la mariée : enfermée dans sa chambre. On n'a pas le droit de savoir.

En blanc, je suppose.

Maurice déboule du fond du couloir et me tire par le bras :

— Jojo, ça y est. J'en suis sûr maintenant.

— Ça y est, quoi ? Sûr de quoi ?

— C'est bien Henri et Albert qui ont fait le coup. Ces salauds se sont offert des costards chez Bach, le tailleur chic, à l'angle de la rue. Ça ne peut être qu'avec notre fric !

Je peux pas croire que c'est vrai. C'est trop dégueu. Quand je pense comme on a ramé dans le bois de Freinville !

— Si vous êtes gentils avec moi, je peux vous apprendre quelque chose qui vous intéresse...

Esther se dandine devant nous en mâchant son crayon.

— Et qu'est-ce qui nous intéresse, je te prie ?

Les relations de ces deux-là sont toujours tendues. Ils se chamaillent sans arrêt. Il faut dire que ma sœur y met le paquet.

— Savoir ce qui est arrivé à votre argent, par exemple...

Coup du regard lointain qui en dit long. Classique.

Mais, là, elle met dans le mille. Maurice est subitement intéressé :

— Oui, eh bien quoi ?

— J'ai surpris une conversation qui vous concerne directement...

Maurice va probablement exploser. Je le vois qui avale de l'air et fait un effort énorme pour se calmer :

— C'est bon, souffle-t-il : Tyrone Power au ciné jeudi prochain, ça te va ?

— Ça me va.

Elle marque une pose, prend son souffle et déballe. Henri n'est pour rien dans cette histoire, c'est Albert le coupable. Elle a surpris leur discussion, il n'y a pas d'erreur possible. Albert est revenu de chez le tailleur avec un beau costume tout neuf. Henri s'est étonné. Albert lui a expliqué : « Pour une fois, les deux voyous ont travaillé pour une bonne cause. » Comme Henri ne comprenait rien, Albert a enchaîné : « Va chez le tailleur, j'ai laissé ce qu'il faut pour toi, tu n'as plus qu'à choisir ton tissu. »

On a bien progressé. On pensait que nos deux frangins étaient des salauds. Au moins maintenant, on en est sûr.

Je sens que Maurice est prêt à faire un massacre. Je tente de le calmer :

— Tu vois, Maurice... Albert a quand même partagé avec Henri... Et puis, ils s'habillent pour le mariage de Rose...

Maurice me regarde comme s'il me voyait pour la première fois.

— Non, mais ça va pas la tête ! C'est trop facile

d'être généreux avec l'argent des autres ! Je t'assure bien qu'il ne perd rien pour attendre ! Pour Henri, c'est autre chose... C'est pas vraiment de sa faute... Mais, l'autre... Tu vas voir !

Bien, me voilà prévenu. Je suis soulagé de voir que Maurice ne va rien faire contre Henri. Pour Albert, ça n'a pas été long. Pendant que je faisais le guet, Maurice est entré dans la chambre des grands. Il est ressorti avec l'air tout content.

— Viens te planquer avec moi sous le lit, t'as pas fini de rigoler, mon Jojo...

Je ne devine pas ce qu'il a bien pu faire, mais la suite, je la connais déjà :

— Ils vont se douter tout de suite que c'est nous. On va se prendre une de ces trempes !

C'est vrai, j'ai un peu la trouille. Maurice, lui, est très calme :

— Même si je dois ramasser une ou deux baffes, c'est pas grave. Il saura ce qui arrive quand on se fout de notre gueule !

Moi aussi je suis curieux de voir. Nous ne patientons pas bien longtemps. C'est tant mieux, parce qu'on étouffe là-dessous. J'entends Albert qui arrive dans le couloir en chantonnant son air préféré : « Miousic Maestro, please ». Il chante toujours ça, même quand il rentre vers deux heures du matin. A chaque fois, tout le monde en profite. Il entre et referme la porte. Pour l'instant on ne voit que ses godasses. Il se déshabille et se rapproche de l'armoire. On peut risquer une tête. Le voilà qui enfile sa plus belle chemise, met un nœud papillon et se regarde dans la glace, tout content. Il se sourit pour voir s'il a de belles dents... C'est sûr qu'il se doute de rien. Ça me fait marrer, parce que, même s'il est plutôt beau gosse, il a vraiment l'air tarte en chemise et chaussettes à faire le guignol devant son miroir, alors que nous, sous le plumard, on n'en perd pas une. Maurice et moi, on retient notre souffle. Il décroche le cintre qui porte son costume et enfile le pantalon. Je prends comme un gauche dans les côtes. On va se faire massacrer ! Albert n'est pas en pantalon ! Il est en short ! Maurice a coupé les deux jambes à la hauteur des genoux. Les joues me brûlent déjà des baffes qu'on va prendre. Et ça va pas être que deux taloches. Il y a été un peu violemment, le gars Maurice !

Et pourtant, la tête d'Albert vaut sûrement le détour. Et ses mollets de coq aussi, sous la chemise de cérémonie ! J'ai du mal à garder mon sérieux, je sens que je vais éclater. Albert contemple le désastre. On dirait qu'il a grandi trop vite. Il est lamentable.

Bien fait.

Il pousse un cri de rage tellement fort que Papa, Maman et mes sœurs sont sur place dans les cinq secondes qui suivent. Tout le monde marque un temps d'arrêt. Nous, on ne bouge pas de notre planque. On veut voir comment tourne le vent.

— Albert... Albert, qu'est-ce qui t'arrive ?

Il est furax :

— Qu'est-ce qui m'arrive ? Elle est bonne, celle-là ! Ça ne se voit pas encore assez ?

Ça, c'est vrai. Poser cette question, c'est ne pas avoir le sens de l'observation. Ils n'ont qu'à regarder pour mesurer le désastre : il va de la cheville jusqu'au genou. Mais la réaction n'est pas du tout celle que j'attendais. Mon père donne le coup d'envoi : il éclate de rire. Du coup, toute la famille se gondole, et de plus en plus fort... C'est le moment de faire surface. On sort de notre cachette. Moi, je n'ose quand même pas rigoler. Mais Papa et Maman sont toujours là et, même s'il en meurt d'envie, Albert n'osera pas nous mettre une torgnole. On s'en tirera de ce côté-là.

Esther regarde Albert :

— Ça t'apprendra à dépouiller les deux crapauds !

On explique aux parents, juste en changeant légèrement l'histoire pour ne pas les inquiéter inutilement. Notre fric, c'était de l'argent de poche que nous avait donné Georges. Papa se moque d'Albert :

— Tu vois... tu vois, Albert, ce qui arrive quand on se croit le plus fort !

Vexé, Albert.

Bien fait, bien fait, bien fait !

On s'est vengé.

Maurice enfonce le clou :

— Alors, Albert, tu seras comme nous au mariage, en culotte courte. On pourra se tenir par la main. Qu'est-ce que t'en penses ?

Albert lisse sa moustache. Il nous sourit, et ouvre son armoire. Il en sort un superbe pantalon assorti à sa veste. Sans se presser, il l'enfile et balance :

— A l'avenir, petits malins, vous saurez que je fais toujours faire mes costards avec deux pantalons !

Pas mal. Classe.

On accuse le coup, mais après tout, selon moi, c'est aussi bien. Pas de baffe pour nous et un nouveau pantalon pour lui, ça fait un partout, la balle au centre. Et ça ne gâchera pas la journée.

Parce qu'il ne faut pas oublier que nous nous habillons pour une occasion très spéciale. On n'a pas encore vu Rose, l'héroïne du jour. Et, justement...

25

Une cousine annonce que la mariée va sortir ! On se précipite en bas de l'escalier du salon de coiffure pour l'attendre. Et Rose apparaît, tout le monde retient son souffle. Elle est magnifique, ma Rosette. Elle a tiré ses cheveux sous un grand voile tenu par une couronne de fleurs. Sa robe descend jusqu'à ses pieds. On dirait une princesse, exactement comme sur la couverture du livre de contes, dans la vitrine du libraire qui fait l'angle : sa jupe blanche est pleine de perles brodées, elles sont plus petites mais il y en a tout plein, ses manches longues sont un peu bouffantes. Son corsage bien serré lui fait une taille de guêpe. Ça, c'est une expression de Papa, qui est à côté de moi et qui n'en peut plus de la trouver superbe, ma princesse. Je suis sûr que Georges va adorer. Je pense à Blanche et j'ai le cœur qui se serre, mais il ne faut pas que je me laisse aller un jour comme aujourd'hui.

Je bondis pour l'accueillir au bas de l'escalier. Je tiens absolument à être le premier à embrasser Rose en mariée. Le tissu de sa robe est aussi doux que la peau derrière son oreille. Elle sent la fleur d'oranger que Maman me prépare quand je n'arrive pas à dormir. Elle est vraiment belle. Et c'est pas parce que c'est ma sœur...

Après les cris d'admiration, et vas-y qu'on s'embrasse en pleurant dans tous les coins, on part en tribu derrière elle à la synagogue. Tout le quartier est de la fête. Je n'ai jamais vu autant de monde réuni. Papa a bien fait les choses.

Georges et Rose se tiennent devant le Rabbin qui leur lit des trucs. Georges relève le voile de Rose. Elle le regarde avec un drôle d'air dans les yeux, « des yeux d'amoureuse », comme dit Samy. Papa a l'air très heureux, il sourit sans arrêt. C'est normal, la première de ses filles se marie. Pour lui, c'est un événement. Maman, bien sûr, partage sa joie, mais elle c'est version larmes.

Après la cérémonie, on pose pour la photo de famille. Là, c'est pas évident, parce que tout le monde a des machins à dire à tout le monde, et je vois le photographe qui passe un mouchoir plusieurs fois sur son front. On m'impose une cavalière : une petite blonde boudinée dans une robe à pompons roses complètement tartignole. En plus, elle veut absolument me prendre par le bras et moi, je ne veux pas. A chaque fois qu'elle s'approche, je m'écarte. Le photographe soupire.

Si elle me prend encore le bras, je lui tire un pompon.

Nous voilà partis au salon Vianney. C'est classe, comme on peut même pas le dire : des salles immenses, avec des tas et des tas de fleurs qui décorent partout. Et des tables couvertes de plateaux pleins de gâteaux, de fruits, de viandes, d'amandes, d'olives, plus que je n'en avais jamais vu sur les étalages du marché Ornano ou chez le charcutier du quartier qui a pourtant bonne réputation. Mon père a dépensé une fortune !

On doit être tous intimidés, personne n'ose y toucher. Les mariés ne sont pas encore arrivés. Il faut les attendre. C'est très long, ce genre de truc. Maurice fait comme moi : on va d'une salle à l'autre. C'est grandiose. Des musiciens sont en train de s'installer sur une estrade. Ils portent des habits tsiganes. Chacun essaie son instrument, comme Anna quand elle va jouer pour nous, mais ils sont nombreux et, pour l'instant, ça fait une musique inquiétante.

Tout doucement, les salons se remplissent. Je cherche les mariés. Ils sont juste à l'entrée, où ils serrent la main à tout le monde. Et, maintenant, il en arrive de partout. Je m'approche, Georges et Rose m'embrassent. Ils sont aux anges. On pose ensemble encore pour la huit millième photo souvenir. Je regagne ensuite la grande salle où se tient l'orchestre.

Je croise Esther.

— C'est chouette, hein, t'as vu ça ! ?

— C'est très beau, Jojo. Mais je t'ai déjà dit deux cents fois de me pas dire « chouette » et « truc » à tout bout de champ...

M'aurait étonné qu'elle soit agréable jusqu'au bout. Celle-là, pour trouver à la caser, va falloir se lever de bonne heure !

Dès que les mariés franchissent le seuil de leur salle, les musiciens nous envoient le traditionnel *Hussen* et *Kalé Mazel Tov*. Tout le monde se met à danser en les entourant. On crie :

— Georges ! Georges ! Rose ! Rose !

Les musiciens descendent de l'estrade pour venir jouer autour d'eux. Maman les accompagne. Elle a bien sûr tenu à apporter son violon. Elle nous regarde en levant bien haut son archet. Je suis fier d'elle. On frappe dans nos mains. Un... deux !

J'aperçois mes oncles, Boris, Yamy, Issac, Max... Eux aussi ont apporté leurs instruments. Ils s'approchent à leur tour. Mon père prend Rose dans ses bras et ouvre le bal, tandis que Georges valse avec ma mère. Maurice, tout gêné, tient le violon à sa place. D'autres couples se mettent à danser la valse. Le bal est ouvert. Moi aussi j'aimerais bien essayer...

Coup d'œil circulaire. Pas une seule fille de ma taille. Trop petites ou trop grandes. J'aperçois Maurice qui ne s'embarrasse pas pour si peu, maintenant que Maman lui a repris le violon. Il n'a pas perdu de temps. Il danse avec Claire, une amie de Madeleine, une vieille d'au moins dix-huit ans ! C'est vrai qu'il fait plus que son âge, mais elle a tout de même trois têtes de plus que lui ! Ça n'a pas l'air de le gêner. Il m'adresse un signe de la main, pour me donner du courage. J'aimerais tellement que Blanche soit là... On valserait tous les deux.

Pensons vite à autre chose, sinon...

Maurice a raison, après tout, un jour comme aujourd'hui, ce serait un crime de pas s'amuser. J'aperçois une grande fille magnifique, avec de longs cheveux roux sur ses épaules. Je ne sais pas d'où elle sort ni d'où elle vient, probablement une amie d'Henri ou d'Albert. On dirait une actrice de cinéma.

Slalom entre les tables. Quitte à tenter le coup, autant que ce soit avec une belle qu'avec une moche. J'arrive à sa hauteur et... je glisse sur un morceau de poulet en gelée. Qu'est-ce qu'elle faisait par terre, la volaille ? De toute façon, maintenant, je lui tiens compagnie. J'ai l'air malin.

Finalement, ça ne marche pas si mal comme approche... Elle se précipite pour m'aider à me relever. Elle se penche vers moi en me tendant une serviette. Elle est terrible, comme nana, avec ses yeux verts. J'écoute sa voix toute douce...

— ... Vous m'entendez ?

— Pardon ?

— Je vous demande si vous vous êtes fait mal ?

Du courage, Jojo. On ne franchit pas tous les obstacles pour échouer si près du but. Je relève la tête.

Regard foudroyant, comme dans le film de jeudi dernier où le type a rangé son flingue sans rien dire. Je balance :

— J'ai l'honneur de vous demander de bien vouloir m'accorder cette danse.

Ça, c'est envoyé !

Elle accuse le coup, forcément...

Ne pas lui laisser le temps de réfléchir. J'enchaîne :

— Ça me ferait vraiment très plaisir...

Sourire Hollywood.

Vachement belle, comme fille. Tout à fait mon type...

Evidemment, j'aurais pu penser à me relever plus tôt mais, finalement, ça souligne moins la différence de taille. Faut pas rêver, c'est pas mes muscles qui vont l'impressionner. Elle me tend la main et le miracle a lieu : je la tiens dans mes bras et je danse avec elle... Tout le monde doit nous regarder. Je préfère ne pas savoir. Fermons les yeux... Je n'ai qu'à m'imaginer la tête des envieux.

— J'ai beaucoup de chance, vous êtes la plus jolie...

— Merci. Très touchée. Vous êtes visiblement un connaisseur !

Elle se moque de moi ? Il faut que je sache comment elle est arrivée jusqu'ici :

— C'est très simple... Je suis une amie de votre sœur aînée. C'est elle qui m'a invitée.

Tout s'explique... Donc, les deux grands dadais ne vont pas tarder à rappliquer... Maintenant que j'ai fait tout le travail, ils vont chercher à...

Tape sur l'épaule.

— Alors Jojo, tu nous présentes ta cavalière ?

Albert. Henri. Dans le mille. Je le savais. Ça devait arriver. La musique devient plus rapide. Bien fait pour eux. Finie la danse à deux. Une farandole nous encerle, nous voilà partis tous les quatre. Je tiens toujours l'actrice par la main. Elle tourne la tête :

— Ça va, Joseph ?

Elle sait mon nom. Madeleine lui a parlé de moi.

Je souris. Magnifique journée, vraiment.

Après, on s'installe tous à table. Un garçon en gants blancs sert du champagne à tout le monde. Albert s'informe :

— T'en prendras bien une coupe, Jojo ?

Allusion à l'épisode de la guinguette. Albert donne toujours dans la finesse.

— Pas trop pour moi, dis-je.

Je n'ai pas envie de voir l'horizon basculer une deuxième fois. Dans la famille « Je joue les maîtres d'école », bonne pioche : Albert se penche :

— Tu as retenu la leçon, tu vois, ça a servi à quelque chose... Bravo, c'est bien !

Gna gna gna...

Y'aurait pas une très belle femme à côté de moi, je lui tirerais la langue à cet imbécile. Je tourne la tête. Au centre de la piste, Georges et Rose sont assis sur des fauteuils que soulèvent leurs amis. Ils montent et descendent. On dirait qu'ils vont sauter comme des crêpes dans une poêle. Autour d'eux on crie :

— *Mazel Tov*[1] !

Moi aussi, plus tard, j'aurai droit à une fête comme celle-là. Avant, il y aura sûrement les mariages d'Henri, Albert, Madeleine, Esther (là, on va avoir plus de mal à trouver un volontaire) et Maurice. Alors, j'ai encore quelques années devant moi. C'est rigolo à imaginer. J'aurai un costume flambant neuf, avec la veste, la cravate et tout et tout. Et ma fiancée...

1. Félicitations, en yiddish.

Boule dans la gorge.
Blanche...
C'est vraiment malin de penser à ça pour se choper le cafard un jour comme aujourd'hui !

Deuxième Partie

1

— C'est impossible, vous exagérez les faits ! Pas dans un pays civilisé comme l'Allemagne !

Il ne marche pas, mon père. On ne lui fera pas croire un truc pareil.

Avec Maurice, on écoute, planqués dans l'escalier, les conversations du salon. Woswos s'est endormi sur nos pieds.

— Tu crois que c'est vrai ce qu'ils disent ?...

Maurice hausse les épaules. Il a l'air de s'en foutre.

— Puisqu'on vous dit qu'on en vient ! Il y a quatre jours, on était encore à Berlin ! On l'a vu de nos yeux !

— Ne croyez pas que vous êtes à l'abri... Ça peut arriver jusqu'ici...

— Oui, parfaitement, même en France ! Ne sous-estimez pas les nazis, ils sont très forts !

Mon père écoute les deux nouveaux clients. Ils ne sont pas du quartier, mais ils sont juifs, comme nous. Alors, forcément, ça crée des liens.

— Ici, ce n'est pas l'Allemagne. Juif, pas juif, c'est pareil.

— Ça risque d'être différent s'il y a la guerre !

— La France n'a aucune raison d'avoir peur de l'Allemagne ! Et puis, Daladier est à Munich pour sauver la paix.

La guerre.

On en voit dans les films, mais ça fait tout drôle d'entendre les grands en parler pour de vrai. En plus, ils ne sont jamais d'accord. Aujourd'hui, c'est encore pire. Lewinson se fait raser, et monsieur Verduron est à la coupe. Ça chauffe.

— Les juifs, c'est pas eux qui iront nous défendre ! Ils sont tous planqués ! Moi qui suis un ancien de la coloniale, je peux vous dire qu'il n'y avait pas un seul juif dans ses régiments !

Lewinson lève la main pour que mon père recule son rasoir. Il a besoin de sa mâchoire pour répondre :

— Monsieur Verduron, sauf votre respect, vous racontez des conneries. J'ai servi cinq ans dans la Légion. J'en suis sorti avec la croix de guerre, la médaille militaire et le grade de sergent-chef. Et je suis juif, cher monsieur ! Juif !

Ça aurait dû lui fermer son clapet.

Mais non.

Toujours quelque chose à rajouter :

— Vous êtes sûrement l'exception qui confirme la règle. Tenez, j'en veux pour preuve les deux fils Joffo. Où sont-ils ? Hein, monsieur Joffo, où sont vos deux fils ?

Mon père pose ses instruments et se cale sur ses deux jambes. Il dégaine :

— Monsieur Verduron, vous ne seriez pas dans mon salon de coiffure, je vous aurais mis ma main sur la figure. Mais vous êtes chez moi, et je serai courtois. Je vais vous répondre, bien que je n'aie pas à me justifier. Mes fils ont fait un an de préparation militaire, ce qui leur a permis de devenir infirmiers et de choisir leur affectation. Ce qu'ils ont fait. Et je pense que la loi est la même pour tous les Français. Juifs ou pas.

Paf !

Ça c'est envoyé.

Verduron bat en retraite :

— Allons, monsieur Joffo, je n'ai pas voulu vous offenser. Je ne suis pas antisémite, la preuve, je me fais coiffer chez vous... Je suis un patriote français... Il faut me comprendre...

Il hoche la tête devant le silence glacé de mon père.

On ne lui tient même pas la porte quand il sort.

Lewison grommelle :

— C'est pas Verduron, qu'il devrait s'appeler, c'est Verducon !

Quelques jours plus tard, c'est la joie dans tout le quartier. Toutes leurs discussions, c'était des blagues. Les gros titres s'étalent à la une, du *Petit Parisien* à *Paris Soir* en passant par *L'Intransigeant* : « On a sauvé la paix à Munich », « Conférence de Munich : la paix est sauvegardée », « Daladier négocie à Munich : la paix est sauvée », « Munich : la guerre n'aura pas lieu ».

— Vous voyez, triomphe mon père, j'en étais sûr, 14-18, c'était bien la der des der ! Qui voudrait faire la guerre aujourd'hui ? Nos hommes politiques ont prouvé au peuple de France qu'ils sont à la hauteur de la situation. Ils sont conciliants, mais fermes quand il le faut. Munich restera le symbole de la victoire de la paix sur la guerre !

Tout le monde a le sourire dans le salon. Ça va faire plaisir à tous les juifs qui quittent l'Allemagne. Y'en a de plus en plus ici. Depuis le temps que je les entends dire qu'Hitler et les nazis, c'est pas bon pour nous !...

Pour nous aussi, c'est une très bonne nouvelle parce que, comme Henri et Albert sont soldats, si la paix est fichue, ils devront partir faire la guerre. Ça met les larmes aux yeux à Maman à chaque fois qu'on en parle. Maurice et moi, on les admire. La tenue militaire leur va vachement bien. Albert a trouvé aux Puces une veste beige dans laquelle il ressemble à un officier. Il nous raconte que, quand il se promène les mains dans le dos dans la cour de la caserne, les jeunes recrues le saluent. Parfois, ils se mettent au garde-à-vous. Albert les mime, pour nous faire rire. Papa s'inquiète :

— Mais dis-nous un peu, qu'est-ce que tu fais de tes journées ? Tu travailles à l'infirmerie ? La préparation militaire, ça te sert à quelque chose ?

Albert se marre :

— Je ne peux pas dire que ça sert à rien... Mais, pour jouer au bridge avec les officiers ou leur couper les cheveux, ça n'était pas vraiment indispensable.

Henri, ce n'est pas la même chose. Lui, c'est du sérieux. Il est l'assistant d'un médecin. Résultat, il regrette de ne pas avoir fait des études pour devenir docteur. Ça n'est pas facile quand on est l'aîné dans une famille de sept. Il a dû travailler au salon très vite. Donc il n'est qu'infirmier. Mais, tout de même, infirmier diplômé et tout. Lui aussi il joue au bridge avec les officiers.

Ce soir, ils sont « en perm ». Autrement dit « en permission », soirée libre. Ils organisent un bridge avec leurs copains. Maurice et moi, on assiste à la partie en essayant de comprendre.

Une heure qu'on mate sans broncher

Rien pigé !

En plus, ils n'arrêtent pas de se disputer. Maurice me souffle :

— Ce jeu, c'est du bidon. Ça ne vaut pas la belote...

2

Pour une fois, Maman vient nous chercher à l'école. Rose l'accompagne. Je suis bien content parce que, depuis son mariage, on ne la voit pas beaucoup. Bien sûr, à chaque fois que j'ai un peu de temps libre, je fonce chez elle. Mais je suis trop occupé : entre le business place du Tertre, la synagogue, les copains, descendre le chien, remonter le chien... Et encore, heureusement que je prends pas beaucoup de temps pour mes devoirs !

Je me précipite donc vers ma sœur préférée que je serre dans mes bras :

— Rose !

Maurice me suit. Calme. Les grandes démonstrations, c'est pas son truc :

— Qu'est-ce qui te prend ? T'es malade ?

Je ne réponds même pas. Quelle importance ? Ma sœur, c'est ma sœur, même mariée.

On descend la rue Ferdinand-Flocon pour arriver au square. On a une heure peinards. Maman sort de son panier plein de bonnes choses, des tartines à la confiture de framboises, des chaussons aux pommes, des fruits...

Pas fous, les cops. Les voilà qui radinent.

Maman commence la distribution en riant :

— Un gosse de plus ou de moins, ça ne se voit pas !

Je me régale et les copains en font autant. Entre deux bouchées, voilà Maman qui nous lance :

— Les enfants, un grand Mazel Tov pour Rose. Grâce à elle je vais devenir grand-mère. La famille s'agrandit.

C'est drôle, chaque fois qu'on m'annonce un bouleversement dans la vie de Rose, je suis en train de m'empiffrer. Et, chaque fois, ça me reste en travers de la gorge. Maurice est figé. Il a trop horreur de montrer qu'il est ému. Les copains autour de nous regardent Rose avec un drôle d'air.

Si j'ai tout bon, ça veut dire que ma sœur attend un bébé.

— C'est bien vrai, Rose ?

— Eh oui, c'est bien vrai.

— Une fille ou un garçon ?

Maurice me pousse du coude :

— Comment veux-tu qu'elle sache, banane ? Il faut attendre !

Qu'est-ce qu'il en sait, cet imbécile ? Il s'y connaît en bébé, peut-être ?

— C'est vrai, Rose, ce qu'il dit ?

— Bien sûr que je ne sais pas. Ce sera une surprise, c'est ça qui est bien, dit-elle. Que ce soit une fille ou un garçon, on s'en fiche. Ce qui compte, c'est que vous allez devenir des oncles. Vous êtes contents ?

Etre oncle, c'est pas rien ! J'avais pas pensé à ça. J'espère qu'on sera à la hauteur. C'est sérieux, l'éducation d'un enfant.

— Ça c'est pas sûr qu'ils deviendront des oncles... Samy.

Il mâche avec application son chausson aux pommes en suivant la conversation d'un air très intéressé. Son pull-over est plein de miettes.

— Et pourquoi Samy, c'est pas sûr ? s'étonne Rose.

— Ben, si t'as une fille, ils deviendront des tantes !

Maurice éclate de rire en le montrant du doigt. Samy nous regarde étonné. Il ne comprend pas pourquoi on rigole. Il comprend juste qu'on se fout de lui. Du coup, il se met à pleurer. C'est vrai qu'on oublie, des fois, qu'il est encore petit. Marcel se rapproche. Maman attire Samy vers elle et le console. Elle l'assied sur ses genoux et lui parle doucement en yiddish.

Marcel passe sa main sur les cheveux blonds tout ébouriffés de son frère, rassuré de voir qu'il se calme.

Une vraie mère poule.

Le pouce, le nounours, un câlin.

Samy ne pleure déjà plus.

Il y a du tonnerre quand on regagne tous les quatre la maison, Maman, Maurice, Rose et moi. On court en se tenant la main sous la pluie. Les garçons, on saute au-dessus des flaques. Ou dedans ! On se fait engueuler.

On arrive trempés à la maison. Georges nous y attend. Après le repas, Anna prend son violon. Maurice et moi, on danse autour d'elle. Rose rit et frappe dans ses mains. Madeleine et Esther finissent de débarrasser la table. Belle soirée. Je tombe de sommeil quand on va enfin se coucher.

En passant devant la chambre des parents, j'entends Papa dire à Maman :

— Tu te rends compte, tu vas dormir avec un grand-père...

Elle rit :

— Eh oui... Il fallait bien que ça arrive un jour !

3

Huit mois et dix-sept jours que j'attends ce moment. Enfin, on est des oncles ! C'est pas trop tôt ! Rose a eu son bébé cette nuit. C'est une fille. J'en avais plus que marre. Mes frères et sœurs aînés, eux, ils ont l'habitude, depuis le temps que Maman leur fabrique des plus petits. Moi, j'attends depuis presque neuf ans !

Je me sens tout nerveux.

Clinique Marie-Louise, rue des Martyrs...

J'ai le cœur qui bat à cent à l'heure.

C'est vachement important, la première fois.

J'ai peur de faire une bourde.

Question bébé, je débute. Qu'est-ce que je vais pouvoir lui dire ? Et si Rose la met dans mes bras ? Il faut qu'elle sache que je ne suis pas n'importe qui, je suis son oncle.

Maurice a insisté pour m'accompagner. Dans le fond, il est aussi curieux que moi. Lui aussi a hâte de voir à quoi elle ressemble. On fait la course, tout le long du boulevard Barbès et du boulevard Rochechouart. Rue des Martyrs et bing, nous voilà juste devant la clinique.

On entre sans trop se faire remarquer. Au premier étage, on demande à l'infirmière la chambre de madame Mager. On n'oublie pas le « S'il vous plaît, madame », c'est pas le moment de se faire jeter. Elle paraît un peu surprise.

— C'est nous les oncles, dis-je.

Elle sourit. Ça doit l'impressionner. Ou alors, c'est parce qu'on est jeunes. Elle nous conduit jusqu'à la chambre de Rose.

Toc, toc.

J'avance comme sur un nuage. Rose, dans son lit, a l'air bien fatiguée. Je vois bien le berceau, mais pas encore le bébé. J'en oublie ma sœur.

J'approche et je me penche.

C'est tellement chouette que ça me donne envie de pleurer. Elle est minuscule, toute mignonne en bleu et blanc, avec ses petits poings roses bien fermés...

— Ne la touchez pas, les enfants, elle dort !

Ça, on voit bien qu'elle joue pas aux cartes !

De toute façon, j'ai plus l'intention de la prendre dans nos bras. Ça fout la trouille. Elle paraît si fragile...

On admire juste. Je demande à ma sœur :

— Tu ne peux pas faire quelque chose pour qu'elle ouvre les yeux ? Juste une seconde, pour voir de quelle couleur ils sont.

Rose sourit et me dit à voix basse :

— On ne réveille pas un nouveau-né. Mais, puisque tu veux tout savoir, elle a les yeux bleus, comme moi.

Youpi.

Elle sera aussi belle que ma Rosette à moi.

Ma sœur me prend la main :

— Tu ne trouves pas qu'elle me ressemble, Jojo ?

C'est Maurice qui répond :

— On peut pas dire. Mais si elle a les yeux bleus, c'est déjà quelque chose. Remarque, Georges aussi a les yeux bleus.

Elle hoche la tête :

— Le prochain aura peut-être les yeux noirs. Après tout, c'est possible, s'il ressemble à sa grand-mère.

Il paraît qu'elle pèse deux kilos neuf. C'est pas

énorme, mais elle tient déjà une immense place dans la famille.

— Au fait, comment elle s'appelle ?

— Mireille.

Dehors, nous marchons tout excités. On n'est pas restés trop longtemps pour ne pas fatiguer Rose. On a le reste de l'après-midi devant nous. Maurice me dit :

— Tiens, j'ai une idée, on n'est pas loin du cirque Medrano. Si on y allait... Tu veux ? Il y a des clowns, des animaux, des tigres, des lions, comme au ciné dans *Tarzan*... Sauf que là, c'est pas du bidon !

Mon frère est un mystère, par moments. D'où est-ce qu'il sort tout ça ?

Il sait plein de trucs que je ne sais pas.

Sauf que, sur ce coup-là, si ça se trouve, il me met en boîte :

— Tu me racontes des histoires. En plein Paris, des lions, des tigres, pourquoi pas des éléphants ?... C'est des blagues, tu baratines.

C'est vrai, je suis pas Marcel, moi. Faudrait pas qu'il confonde.

— Evidemment, tu te crois obligé de la ramener ! T'oublies toujours que j'ai deux ans de plus que toi ! C'est fatigant, à force !

On va pas se fâcher pour si peu, surtout que maintenant on est des oncles. On remonte le boulevard pour se retrouver devant une grande bâtisse en forme de cercle. Il y a des entrées tout le tour. Mais, pour les prix, c'est plus cher que le cinéma. Je fais la grimace mais Maurice me balance :

— Te casse pas la tête... Pour nous, c'est toujours le même prix ! Tu me laisses faire.

On dirait que Maurice ne m'a pas mené en bateau. Sur les réclames dans le hall, on voit des lions et des tigres qui sautent dans des cercles en feu.

Je meurs d'envie d'entrer voir ça de plus près. On en aura pour notre argent, même si on paie pas...

4

Maurice surveille les files de spectateurs qui commencent à se bousculer.

— Pourquoi tu restes près des caisses, si t'as pas l'intention de prendre de billets ?

Il me tire par le bras. On s'éloigne un peu.

— J'explique. C'est simple comme bonjour. Dès qu'on trouve toute une famille avec plein de mômes de notre âge, on y va. Regarde ceux-là, le type avec la grosse bonne femme et leur marmaille. Quand ils seront au contrôle, on passe devant eux et, avec le pouce, on fait un signe en les montrant derrière... Fastoche... Après, c'est gagné. Pigé ?

De plus en plus gonflé. On passe un cap dans l'art de la resquille.

Il me fait les gros yeux. Y'a intérêt à assurer.

Pas le moment de flancher.

Je ne sais pas si je vais avoir le cran. Je m'oblige à regarder les photos des lions et des tigres pour me donner du courage. Mon envie de les voir pour de vrai est plus forte que ma trouille. Maurice se met devant moi. Les types de notre âge sont derrière nous à se chamailler et leurs parents essaient de les faire taire. Impossible. Pas très doués les parents.

Ça me rassure, c'est bon pour nous.

Je m'efforce de sourire et je me retourne comme si j'allais leur parler... Je n'en suis plus à ça près. On passe devant le contrôleur qui mesure au moins deux mètres. Je pense à l'histoire de David et Goliath que le rabbin nous a racontée.

Tout de même, franchement balaise, le bonhomme.

Mon frère lève son pouce en disant calmement :

— Derrière !

Il passe... Je l'imite exactement. J'ai l'impression que mon dos ruisselle. Ma chemise me colle.

Quelques mètres...

Ça marche !

Maurice part en zigzaguant dans la foule. Pas question de traîner vers l'entrée. Il ne faut pas que je le perde. Sans lui, je suis paumé.

— Tu vois, me dit-il, c'était pas difficile.

Sans se presser maintenant, on suit la foule, en faisant comme si on n'était pas là. Le pot. Deux places en bord de piste. Pourquoi se priver, à ce prix-là ! La lumière s'éteint.

Roulements de tambour.

Ça me fout des frissons. Un clown aux cheveux verts apparaît dans un rayon de lumière. Avec un type à figure toute blanche, ils annoncent le spectacle. J'ai pas l'intention d'en perdre une miette. De temps en temps, la tignasse verte du clown se dresse sur sa tête. Ça fait marrer tout le monde. Il est bien plus drôle que l'autre, qui lui fout des baffes, avec son chapeau pointu et ses culottes bouffantes beaucoup trop grandes.

Coup de tonnerre. Plus aucune lumière. Ça se rallume. Cette fois, il faut lever la tête. Dans les airs des trapézistes se balancent. Il y a même une femme dans un maillot pailleté. Jamais vu une nana aussi déshabillée et roulée comme elle. J'en oublie d'avaler ma salive. J'arrive pas à croire qu'une fille puisse faire des choses pareilles. Quand je pense à mes sœurs... J'ai beau savoir qu'il y a un filet, j'ai un point dans le creux du ventre. Je ne dois pas être le seul parce qu'à chaque fois qu'ils se rejoignent pour retrouver leur perchoir, on entend un grand soupir de soulagement dans la salle. Quand, enfin, ils regagnent le centre de la piste, j'arrête de serrer les fesses, et j'applaudis avec tout le monde. Les clowns reviennent. Ça va à toute vitesse. On n'a pas le temps de discuter avec Maurice.

Les jongleurs apparaissent dans un tourbillon de boules et de quilles. Doués, les mecs, mais ça m'impressionne moins.

Puis des chevaux déguisés avec des tas de machins de couleur tournent trente-six fois autour de la piste, avec des types qui arrêtent pas de sauter de l'un à l'autre en faisant des pirouettes. Je plains les chevaux. C'est toujours eux qui trinquent, comme dans les films.

Un magicien commence à scier en deux une pauvre fille enfermée dans une caisse qui ne laisse sortir que sa tête et ses jambes.

Le massacre.

Pas affolée du tout, la fille. Elle sourit au public pendant qu'on la découpe. Maurice me pose la main sur le genou :

— Ne fais pas cette gueule, c'est du flan, tout est truqué. Tu vas voir, dans cinq minutes, elle va sortir de sa caisse sans une égratignure.

Exact. La fille ressort comme si elle venait de faire une bonne sieste.

Bisous à la foule. Derrière elle, des types installent une immense cage. Pas le temps de me demander pourquoi : les lions, les tigres et une panthère noire arrivent par un petit tunnel en grillage. Ils rugissent sur leurs tabourets. Ça n'empêche pas un moustachu d'entrer dans la cage, en bottes de cuir rouge et or avec un immense fouet qu'il fait claquer pour nous impressionner. Je sens peser sur lui le regard des fauves... Ils guettent l'erreur. Aussi bien il va se faire dévorer sous nos yeux. Claquements de fouet, les lions changent de fauteuils. Le type aux grandes bottes prend dans sa main gauche un cerceau enflammé. A la queue leu leu, les tigres sautent à travers. Ovations. On respire mieux quand il fait sortir toutes les bêtes, calmement, par le petit couloir. Seule la panthère noire reste sur son tabouret. Le dompteur ne la quitte pas des yeux. Peut-être qu'il l'hypnotise, comme les serpents. Il lui parle doucement, s'approche d'elle et la caresse. Elle se couche sur le ventre, les pattes bien étalées devant elle, exactement comme Woswos quand je lui dis « Couché ». Alors ça, c'est pas possible, il lui ouvre la gueule et plonge sa tête entre les énormes mâchoires. Grondements de tambours. La salle retient son souffle. Cette fois, j'ai hâte que ça finisse. Quand enfin il retire sa tête, je me lève et j'applaudis. Même avec mon chien, je ne l'aurais pas fait. Surtout que ça sent pas forcément la rose, là-dedans. Le dompteur repart avec sa panthère, on démonte déjà l'immense cage.

Le spectacle se termine. Tous les artistes viennent saluer autour de la piste, très près de nous. Ils sont en sueur, on voit bien leur maquillage couler. Mais ils ont un de ces sourires. Surtout la trapéziste.

— C'est la parade, souffle Maurice.

J'ai l'impression d'avoir rêvé. Maurice me pousse du coude :

— Ça t'a plu ? C'est chouette, hein, le cirque ? T'as vraiment de la chance d'avoir un grand frère comme moi !

Changement de ton :

— C'est pas tout, faut rentrer vite fait. Maman attend des nouvelles du bébé ! Il est tard, on va se faire engueuler... !

5

On se pointe à la maison, persuadés qu'on va nous tomber dessus en nous demandant de décrire Mireille sous toutes les coutures.

Rien.

Pas une question, personne ne fait attention à nous. On se regarde, Maurice aussi a l'air étonné. Toute la famille écoute le poste de radio. Ma sœur se retourne et nous fait signe de nous taire. Elle nous demande souvent de la fermer mais, avant même qu'on l'ouvre, ça ne présage rien de bon.

Bzz... L'invasion de la Pologne est évidemment inacceptable. Bzz... intervient à la suite Bzz... d'une conférence où la paix Bzz... semblait sauvée. On ne peut Bzz... bien sûr exclure aujourd'hui la Bzz... conflit généralisé dans Bzz... nos forces seraient évidemment...

— C'est quoi, un conflit ?

— Chuuuut ! Jojo !

Esther m'attire à elle, c'est rare, et me souffle à l'oreille :

— Ça veut dire la guerre. Tais-toi et écoute...

Maurice a le sens de la politique :

— Vous en faites une tête ! Il vaut mieux que ce soit la Pologne que la France !

Paf. Une baffe.

Mon père n'écoute pas souvent le poste et, quand il l'écoute, c'est pas pour être dérangé. Tout de même, une baffe pour la Pologne, ça en ferait combien pour la France ? Je demande tout bas à Maman :

— C'est grave ?

— Très grave. Je vais t'expliquer : la France est l'alliée de la Pologne. Les Français vont sûrement être obligés de déclarer la guerre à l'Allemagne pour défendre les Polonais.

Je comprends que ma mère a peur pour mes frères qui sont soldats. C'est un peu flou, pour moi, la guerre. Bien sûr, j'en ai vu plein dans les livres d'histoire et dans les films. Je sais donc pourquoi Maman a peur pour Henri, pour Albert et pour nous tous : la guerre, ça fait des morts.

Maurice et moi, on ne risque rien, puisqu'on n'a pas l'âge d'être soldats. Pourtant, ce soir-là n'est pas comme les autres. Personne ne s'occupe de nous, et on n'a rien mangé depuis le matin. Maurice me tire par la manche :

— Bon, on va pas se laisser couper l'appétit. S'il y a la guerre, faut prendre des forces. On en aura besoin !

On fouille dans la cuisine.

Immense tartine beurrée.

C'est assez rigolo de manger comme ça, debout, sans les autres.

Maurice me met la pâtée à une partie de dames et

on éteint très vite, parce que la journée a été riche en émotions fortes...

Le lendemain, on ne change rien à nos habitudes, on part en classe à la même heure, c'est-à-dire en retard. Juste un détail : ce matin, on aurait du mal à ne pas voir les gros titres à l'étalage du marchand de journaux, ils nous sautent à la figure. Cette fois, c'est pas du bidon. En grosses lettres immenses et très noires :

LA GUERRE EST DÉCLARÉE.
LA FRANCE DÉCLARE LA GUERRE
À L'ALLEMAGNE...

Maurice lit avec moi et me dit :

— Tu vas voir, on va leur en mettre plein la gueule, ils vont comprendre ! On va la gagner cette guerre. Et plus vite que ça, tu peux me croire !

Je suis bien d'accord avec lui. Ils vont comprendre les Allemands ! C'est joué d'avance puisqu'on est les bons et eux les méchants.

A la récré, avec les cops, ça discute dur, Marcel, Aaron, Jacquot donnent leurs avis. Mais il y a un truc qui me chiffonne :

— Cette guerre, on va la gagner, c'est sûr. Mais il faudra aussi empêcher les Allemands de faire du mal aux juifs. Nous, on en a vu des réfugiés juifs au salon de mon père. On voulait pas les croire quand ils racontaient ce qui se passe là-bas ! C'est eux qui avaient raison !

Marcel tire sur sa veste bleu marine. Quand il ne tient pas Samy, il ne sait pas quoi faire de ses mains :

— Les gars, vous avez sûrement raison. Moi, je vois pas comment on perdrait la guerre avec des soldats comme vos frères. Les plus balaises du quartier. Et vous, avec vos Indiens et vos cow-boys, vous connaissez...

Ou il est demeuré, ou il nous mène en bateau. Je préfère penser qu'il se paie notre pomme.

— Dis donc, Marcel, t'aimes bien les entendre nos histoires. Alors, t'as pas besoin de la ramener !

— Moi, ce que j'en dis... A Freinville, à vous entendre, vous aviez toujours une guerre d'avance !

Maurice le regarde comme s'il était débile et lui dit gentiment :

— Marcel, tu comprends rien et tu n'as jamais rien compris. Ça n'a rien à voir avec nos guerres, c'est pas la bande du square Clignancourt contre le square Carpaux. C'est pour de bon, maintenant. Pour de vrai, tu piges ?

Maurice se retourne vers moi :

— Viens Jojo, ce minus, faut pas lui parler de choses sérieuses, il mélange tout !

Il a tort, mon frère, de lui parler comme ça...

Marcel a l'air blessé :

— Je sais bien que c'est grave... Mais nous, on n'y peut rien... C'est mon père qui l'a dit hier soir.

Maurice ne répond pas. C'est la fin de la récré. On rentre en cours. On est à peine assis à nos pupitres que le maître commence à nous expliquer pourquoi la France se doit de porter secours à un pays opprimé et ce que signifie le mot « alliance ». Rien n'est comme d'habitude dans la classe aujourd'hui. Je me sens bizarre. Mais, d'un sens, c'est plutôt bon pour moi que ça fasse sauter l'interro de géographie, parce qu'avec la visite à Rose et le cirque, je n'ai pas eu le temps d'apprendre ma leçon.

Un type lève la main :

— M'sieur, vous aussi vous croyez que tout ça, ce sera pas bon pour nous, les juifs ?

Le maître prend l'air surpris.

— Sacha, pourquoi me poses-tu cette question ?

— Je ne sais pas, monsieur, c'est à cause de ma mère, à chaque fois qu'il se passe quelque chose de grave, elle dit à mon père que ce sera pas bon pour nous, les juifs.

Le maître s'assied à son bureau et croise les mains. Il est reparti pour un autre discours. C'est toujours ça de gagné...

— Vous savez, les enfants, la guerre, ça n'est bon pour personne, que l'on soit juifs ou pas. Les bombes, qu'elles soient allemandes ou françaises, ne font pas la différence. Elles font des morts, beaucoup de morts dans toutes les familles. C'est l'une des raisons pour lesquelles un pays ne doit entrer en guerre que lorsqu'il n'y a plus d'autre solution. Je crois que c'est le cas aujourd'hui. Si la France a déclaré la guerre, c'est pour essayer de mieux préparer la paix en Europe dans l'avenir. Nous n'avons pas d'autre choix possible. Cette guerre est celle du bon droit et de la liberté. Nous en sortirons vainqueurs.

Dans la classe, le silence est total. Pas un bruit.

— Mais ne vous inquiétez pas trop non plus, les enfants. Tout sera vite terminé, rajoute le maître. Il ne faut pas avoir peur. Notre gouvernement sait ce qu'il fait et nos soldats sont là pour nous protéger...

6

Après l'école, on se précipite au salon de coiffure. C'est toujours là qu'on apprend le plus de trucs. Henri et Albert sont arrivés. Maurice se planque à côté de moi, en haut de l'escalier. A cause de la poutre, on ne voit que les jambes d'Henri :

— C'est ma dernière permission... On part en opération dans le Nord. Je ne peux pas vous dire où...

J'entends Albert qui en rajoute :

— Nous avons tous la consigne de ne pas en parler.

Maurice et moi, ça nous fait rire... Comme si on allait aller le répéter aux Allemands ! Maurice met sa main contre sa bouche et se penche vers mon oreille :

— Toujours à faire le bêcheur ! Tu te rends compte de ce qu'il dit ? Comme si chez nous, rue Clignancourt, il y avait des ennemis !

Verduron, qui est passé se faire raser, se vexe :

— Mon jeune ami, si vous pensez qu'un homme comme moi répéterait ce genre d'information, vous faites fausse route. Vous oubliez ma Légion d'honneur !

Il en faut bien plus que ça pour démonter Albert :

— Ça ne prouve rien... En temps de guerre, on n'est jamais trop prudent. Si les uns parlent, les autres répètent. C'est justement ce qu'il faut éviter. Savez-vous ce que dit notre colonel : « Où que vous soyez, les enfants, un seul mot d'ordre : silence, les murs ont des oreilles » ? Ils ont d'ailleurs prévu de l'afficher sur tous les murs de Paris...

Henri confirme :

— Voyons monsieur Verduron, tout ça semble logique en temps de guerre. Vous, un ancien combattant, vous devriez le comprendre mieux qu'un autre.

Touché !

— Affirmatif ! Si c'est votre colonel qui le dit, vous devez lui obéir. Enfin, y'a plus qu'à espérer que vous nous sortirez de là... A votre tour de défendre la France ! Si c'est pas malheureux de se retrouver à nouveau en guerre... Vingt ans de mauvaise politique ! Les communistes...

— Ah, vous n'allez pas remettre ça !...

Et c'est reparti. Il y a toujours de l'ambiance au salon.

Je me tourne vers Maurice :

— Comment tu veux que ça marche entre les Allemands et les Français ? Ici, à cinq dans un salon, ils ne sont jamais d'accord !

Maurice hoche la tête, il approuve :

— Viens, on va boire un grand chocolat... C'est mieux que d'écouter leurs salades !

On dévale les escaliers, traversant le salon à toute vitesse pour se retrouver à l'air libre. Ça permet de respirer un grand coup. Direction : le café d'en face. On achète deux strudels avant d'entrer.

Le chocolat mousse, je touille toujours le sucre pendant des heures. Ça énerve Maurice, des fois.

C'est pas drôle, tout autour de nous, ils ne parlent que de guerre et finissent aussi par s'engueuler.

— C'est pas possible, on est tranquille nulle part !

Maurice mord son strudel à pleines dents.

— Et encore, ce n'est que le début...

— Tu crois qu'en Amérique c'est pareil ? Je veux dire : eux aussi ils vont faire la guerre ?

— Je crois pas... Pour le moment... on ne sait pas. Mais ce serait bien qu'ils se mettent dans notre camp. Avec eux on serait sûr de gagner.

C'est inquiétant, son histoire :

— Parce que, sans eux, on peut perdre la guerre ? Tu dis ça pour me faire peur ?

— Non... non... Mais c'est vrai, à l'école, l'année dernière, on a étudié la guerre de 14-18. Et alors, si les Ricains n'étaient pas venus, on était bel et bien dans les choux. Donc, tu comprends, quand je les entends parler... je me méfie un peu. C'est peut-être pas joué d'avance.

Dans les choux...

L'heure est grave. On préfère sacrifier nos devoirs pour aller en parler avec les copains au square. Il faut savoir faire des priorités. On organise une grande partie de football. Pour voir, on dit que dans une équipe, il y a les Allemands, dans l'autre les Français... C'est pas simple. On a beau tirer au sort, personne ne veut être allemand. Maurice est contre moi dans le mauvais camp. Je joue avant-centre et lui gardien de but.

Mais, en face de lui, je perds mes moyens. C'est sans doute pour ça que les Allemands nous mettent la pâtée. Heureusement c'est que du foot. Quand même...

A la maison, ils sont déjà tous à table. On s'assied vite. Papa veut savoir comment s'est passée notre journée à l'école. Je raconte en répétant tout ce qu'a dit le maître ce matin. Pour une fois, on m'écoute. En ce sens, c'est plutôt une soirée réussie. Bien sûr,

Maman a toujours son mouchoir dans la main. Elle nous fait croire qu'elle a un rhume, mais moi je sais bien pourquoi. Henri et Albert, eux, sont en forme : pas de problème, les Français vont gagner.

Personne ne leur dit le contraire.

— Il faut que nos soldats gardent un bon moral, répète Papa.

C'est sans doute pour ça que Maurice écrase et ne leur fait pas le coup des Américains et des choux en 1914. Demain ils vont partir dans le Nord de la France. C'est pas le moment de leur filer le bourdon. Maman leur prépare des tas de bonnes choses, des gâteaux, du chocolat, de la confiture. Elle essaie de leur donner des conseils mais elle ne peut pas s'empêcher de répéter :

— C'est bien la peine de mettre des enfants au monde, de les élever, les voir grandir... En faire des hommes pour les voir partir à la guerre ! Mon Dieu, je vous en supplie, faites quelque chose !

Papa tente de la consoler :

— C'est pour tout le monde pareil, Annouchka. On est français, ou on ne l'est pas. Si on l'est, c'est normal qu'on défende son pays. Regarde dans le quartier, tous nos amis qui n'ont pas le bonheur d'être français vont s'engager comme volontaires dans l'armée.

C'est clair.

Il faut être courageux.

Henri et Albert nous embrassent tendrement. Je sais bien que cette soirée n'est pas comme les autres. Et si ça faisait comme pour Blanche ? Et si je voyais mes deux frères pour la dernière fois ? J'ai à nouveau une grosse boule dans la gorge quand je vais me coucher. C'est bête à dire, mais je ne peux pas m'empêcher de pleurer sous ma couverture.

Doucement, pour pas que Maurice entende.

Je fais gaffe parce que je sais qu'il ne dort pas : ça fait deux fois que je l'entends renifler.

On se réveille très tôt tous les deux. Rien ne bouge

encore dans la maison. Maurice tire sur ses couvertures et me dit :

— Tu sais, Jojo, j'ai réfléchi. On va filer une partie de notre fric aux deux frangins. Il faudra bosser encore plus, parce qu'on va leur donner vingt francs, et c'est le tiers de nos économies.

— C'est une bonne idée, dis-je. Mais pour l'Amérique...

— T'occupe. Là-bas, on va se refaire. C'est un pays où tu peux profiter d'un tas de combines. T'as vu comme moi au cinoche, jeudi dernier : là-bas tous les gosses jouent au poker...

Minute.

— Au poker ? Mais on ne sait pas jouer à ce truc-là. Ce serait grave si on perdait tout ce qu'on a !

Il se marre :

— Jojo, te casse pas la nénette, avec moi tu seras jamais du côté des perdants.

On prend donc de bonnes résolutions. Puisqu'on doit participer à l'effort de guerre, il faut trouver un moyen de gagner de l'argent autrement. On décide de se pointer dès demain au *Petit Barbès*, le bistro des joueurs. Discrètement on regardera faire et on apprendra.

Un nouveau pas vers l'Amérique.

On saute du lit dès qu'on entend que ça remue dans la maison. Henri et Albert sont prêts. L'heure du départ a sonné. Maurice leur tend notre argent :

— Voilà, c'est de la part des petits frères. N'oubliez pas de partager, comme d'habitude...

Albert nous sourit et balance une pichenette à Maurice :

— Bravo, les p'tits gars, c'est beau ce que vous faites pour la France. C'est ce qu'on appelle la solidarité. Et puis, ça m'évite de vous le piquer !

On se marre tous. Ça rappelle des trucs ! Mais, après, Henri vient nous dire un grand merci. Et Albert aussi.

Avant de les laisser partir, je veux leur faire un cadeau spécial. Idée. Je vais chercher mes plus belles billes. Pour Henri, deux calots et pour Albert, la plus grosse bille d'agate de ma collection :

— Elles vous porteront chance. Moi c'est quand je joue avec ces billes que je gagne !

7

Déjà quinze jours d'apprentissage pour Maurice et moi au café des joueurs. On a de la chance, ils nous laissent rentrer. Faut dire qu'ils nous connaissent : on est les fils de « Robert le coiffeur ». Georges, le mari de Rose, est là aussi.

On s'approche, on dit bonjour et surtout on la ferme.

La moindre gaffe risque de nous faire virer sans ménagement. C'est un bon prof mon beau-frère. Il est impressionnant quand il bat les cartes. Je le regarderais pendant des heures si je n'avais pas peur d'étouffer avant.

Je ne supporte pas l'odeur du tabac, ça me fait tousser. Je me demande si, pour bien jouer, on devra obligatoirement fumer... Il faut les voir tirer sur leurs mégots... Les cendriers sont toujours pleins et puent le tabac froid. Je passe une heure dans ce bistro et j'ai les yeux comme un poisson rouge qu'on a sorti du bocal. Je peux à peine respirer. Maurice tient le coup. Quand on rentre, il me fait profiter de ses observations et m'explique des coups. Mais rien à faire. Les cartes, c'est pas mon truc, je n'y comprends rien. Je confonds tout. Chaque fois qu'on fait une partie ensemble, je me prends la raclée du siècle. Maurice n'a même plus envie de jouer avec moi. Maintenant, il se trouve d'autres partenaires.

Pour une fois, ça me fait plutôt plaisir. Alors, histoire de faire quelque chose, j'essaie d'apprendre d'autres tours à mon chien. Il me fait vite comprendre qu'il a grandi et qu'il en sait assez pour son âge. En désespoir de cause je traîne jusque chez Marcel.

— Si tu veux, on peut faire une partie de Monopoly, propose-t-il.

Il est très fort à ce jeu-là.

Je pige tout en deux ou trois parties. Il y a des choses, comme ça, qu'on n'a pas besoin de m'expliquer longtemps. Marcel n'en revient pas. Je retiens très vite que l'avenue Henri-Martin vaut bien plus que la rue de Vaugirard et le boulevard de Belleville.

Maurice me rejoint chez Marcel. On part se balader. On prend le métro jusqu'au terminus porte Dauphine. A chaque arrêt, de grandes affiches indiquent : « Nous vaincrons, parce que nous sommes les plus forts. »

— C'est toujours bon à savoir... me dit Maurice en rigolant.

Un vieux bonhomme assis sur le banc d'une station boit du vin à la bouteille. Il parle tout seul et très fort :

— Je vais vous dire, moi ! On va gagner la guerre pour deux raisons : la première, c'est bien sûr parce qu'on est les plus forts ; et la seconde, c'est parce que les Boches sont des cons !

C'est pas marqué sur les affiches.

Super belle balade. On découvre le bois de Boulogne et son lac. On fait un grand tour, puis on remonte par l'avenue Foch jusqu'à l'Etoile.

Crevés !

On prend le bus, le trente-et-un, qui nous dépose place Jules-Joffrin.

— C'est vraiment les beaux quartiers... Je comprends, dis-je, pourquoi ça vaut plus cher au Monopoly. Peut-être que, nous aussi, un jour on ira habiter avenue Foch... pour de vrai.

Maurice me sourit :

— Dans le fond, c'est moins loin que l'Amérique. C'est peut-être une bonne idée, faut voir... On va y penser. En attendant, si on faisait une petite partie... Qu'est-ce que t'en penses ?

— Une partie de Monopoly ?

— Le Monopoly, c'est pour les mômes ! On va jouer au poker ! Alors, tu te dégonfles ?

Non.

Je ne me dégonfle pas.

Battu à plate couture, le frangin.

Il n'en revient pas. Il ne fait aucun commentaire. Pourtant, avant d'éteindre, le soir, il me glisse :

— Tu progresses au poker... Si tu continues comme ça, l'Amérique, c'est pour bientôt !

8

En fait de New York ou de Californie, c'est pour Nantes en Bretagne qu'on émigre. Pas le temps de réfléchir. Papa nous l'annonce au réveil. Dans le quartier il y a un vent de panique, on s'attend au pire. La trouille des bombardements. Peut-être qu'on s'affole un peu vite... mais, avec Maman, pas de discussion. Il faut partir vite fait. Je demande :

— Pourquoi est-ce qu'on a besoin de partir si loin ? On peut aller à Freinville, ce serait aussi bien !

La réponse ne se fait pas attendre :

— Surtout pas, il n'en est pas question ! Avec l'usine et la voie de chemin de fer qui passe à deux cents mètres de chez nous, c'est l'endroit idéal pour être bombardé.

Zut.

On fait nos bagages, rapide. Pas le temps de dire au revoir aux copains. C'est le plus dur. Parce que l'idée de ne pas aller à l'école, ce n'est pas vraiment désagréable. Mieux vaut ne pas l'ouvrir. De toute façon, personne n'écoute rien aujourd'hui.

Le soir, on se retrouve tous à la gare Montparnasse. Rose nous accompagne. Dans le fond, c'est plutôt marrant. On dirait des vacances. Le plus drôle, c'est de voir tout ce monde qui se bouscule partout. Les gens cherchent leurs places dans les compartiments. A quelques minutes du départ, un haut-parleur annonce que la Croix-Rouge va distribuer de quoi manger. C'est à l'autre bout du quai !

Rose vient avec nous. On laisse le bébé et Woswos à Maman qui nous attend, installée dans le train.

Raz de marée. J'ai du mal à remonter la foule. Maurice me tient la main. Ça fait un peu Marcel et Samy.

On se faufile, on joue des coudes, des pieds et des mains, on court un peu plus vite que les autres. C'est là qu'on voit que le foot, ça sert, à condition d'être avant-centre et pas gardien de but. On revient juste à temps... Le train démarre. Maman n'a jamais été aussi heureuse de nous revoir ! Elle me prend sur ses genoux et me serre contre elle. J'ai un peu honte devant tout ce monde. Je suis plus un bébé. Mais quelle journée ! Je sens une grande fatigue dans les jambes...

Les gens bavardent autour de nous. Maman regarde par la fenêtre et me passe la main dans les cheveux. Je l'entends murmurer :

— Partir... encore...

Le train roule dans la nuit, je m'endors bercé par le bruit.

9

J'ouvre les yeux. Le train ne roule plus. Il fait jour et nous sommes arrêtés en rase campagne. Pourquoi ? Les rumeurs les plus folles commencent à circuler d'un bout à l'autre du train. Certains disent que les Allemands ont détruit les lignes de chemin de fer, d'autres que des espions se trouveraient parmi nous. On attend les gendarmes d'un instant à l'autre. En fait, de grosses cuisines de campagne viennent nous servir un bon petit déjeuner. Ça tombe bien, j'ai très faim. Le train redémarre tout doucement. Il s'arrête vraiment trop souvent. On a l'impression qu'il ne sait pas où il va. Un peu plus d'une nuit déjà...

Il stoppe encore et, comme je m'apprête à râler, je vois Rose se lever. On est enfin arrivés ! Partout dans la gare, d'immenses affiches sur Petit Lu. Impossible de ne pas les voir. Maurice m'en désigne une de son menton :

— Tu le connais toi, ce p'tit Lu... Lu... Pourquoi on lui fait de la réclame ?

— C'est peut-être un code pour tromper l'ennemi !

Maurice me pousse du coude :

— Regarde !

Dans la gare, un monsieur avec un chapeau rond et des lunettes grignote des petits gâteaux. Sur le paquet on peut lire Lu, Petit Beurre nantais.

On éclate de rire ensemble, Maurice et moi.

— Eh ben, si c'est comme ça qu'on trompe l'ennemi, c'est pas sûr qu'on gagne la guerre !

Dès notre arrivée, on nous dirige sous un grand chapiteau. En fait, on est attendus, c'est inscrit. Il n'y a rien à dire, l'organisation est parfaite. Tout se passe dans le calme. On n'attend pas longtemps, un type en casquette arrive au volant d'une grosse voiture. Il interroge des gens derrière un comptoir, et se dirige droit vers nous :

— C'est vous, la famille Joffo ? Vous venez avec moi. Monsieur le Préfet et Madame vous attendent.

Maman et Rose semblent satisfaites. On le suit. Vachement chouette, sa bagnole ! Beaucoup mieux que celle du copain russe de mon père. Je demande au chauffeur :

— C'est une Renault ou une Citroën ?

Il a l'air vexé. Peut-être que j'aurais dû dire « S'il vous plaît » !

— Non ! non ! ni l'une ni l'autre, mon jeune ami : c'est une limousine Delage.

Maurice me souffle :

— Delage... sûrement une marque américaine.

La voiture longe les quais de la Loire (ça, c'est Rose qui me l'apprend) et passe le porche d'une grande maison. On est arrivés. Je n'en crois pas mes yeux : un jardin avec de grands arbres qui montent jusqu'au ciel, une fontaine avec une gueule de lion qui crache de l'eau dans un immense bassin. Formidable ! On dirait le château des *Malheurs de Sophie* !

On commence à décharger la voiture. Les bagages ne sont pas bien lourds. Maman n'a pris que le strict minimum. On a à peine terminé qu'une dame s'avance vers nous et s'adresse au chauffeur :

— Fernand, mon ami, vous conduirez ces gens dans l'aile droite des communs, et vous leur expliquerez où se trouvent les cuisines. Veillez à ce qu'ils ne manquent de rien.

Puis, ayant terminé avec Fernand, elle se tourne vers cette famille qu'elle a la bonté d'accueillir :

— Soyez les bienvenus à Beauregard... Nous ferons tout notre possible pour faciliter votre séjour. Il faut bien s'entraider, n'est-ce pas, par ces temps difficiles...

Maman et Rose remercient chaleureusement. Maurice me glisse :

— Classe, mais un peu pincée du cul !

Je pouffe de rire et Maman me fait les gros yeux.

Ce qui est rigolo, c'est que comme Anna parle avec un accent d'Europe de l'Est à découper à la scie, madame la baronne de Machinchouette ne comprend rien du tout. Elle ouvre des grands yeux de hibou en aboyant :

— Plaît-il ? Plaît-il ? Je vous en prie, répétez...

Et Maman répète. Rose essaie d'intervenir, mais Maman est persuadée que c'est à elle seule de parler, une mère de famille qui en remercie une autre, c'est bien normal, alors elle demande à ma sœur de se taire. Tout ça est si simple et naturel. Maurice et moi, on se marre derrière leurs dos.

— Nous voici installés dans nos appartements, dit Maurice avec une petite voix aiguë. Si c'est Madame la baronne qui le dit...

C'est comme ça qu'on la surnomme. Il s'amuse à l'imiter, et on se tient les côtes de rire !

On s'installe dans deux pièces. On pourrait facilement y mettre tout chez nous à Paris, ça doit être pour ça que Madame la baronne dit « vos appartements », des fenêtres immenses s'ouvrent sur une cour dans laquelle il y a une très jolie chapelle.

Pour nous, c'est les vacances qui commencent. Mais, ici, pas de cuivre à ramasser. Si par hasard je fais chanter mon chien, j'ameute la cuisinière, la femme de chambre et ce bon Fernand qui s'imaginent que je torture un animal. J'ai beau leur expliquer qu'il sait chanter, ils ne me croient pas. Maurice me dit :

— N'insiste pas, c'est pas le bon public... Rien ne vaut les Américains de la place du Tertre.

Finalement, Montmartre nous manque. Je ferais n'importe quoi pour retrouver les bruits, les odeurs de Paris, les copains... même aller à l'école. Plus de quinze jours qu'on s'enterre à Nantes. Madame la baronne a fini par s'habituer au langage de ma mère. Maman lui a dit que ses deux fils aînés étaient dans l'armée. Elle parle à son tour de son fils à elle, qui se bat aussi pour la France...

On est déjà à la Toussaint. On frappe à notre porte. Madââme en personne. Un événement.

Pas le temps de lui dire bonjour :

— Madame Joffo, je ne vous vois jamais à la messe du dimanche. Un peu de religion ne fait pas de mal. Vous êtes des nôtres pour l'office de la Toussaint, je compte sur vous ! Tout le personnel est déjà réuni dans la chapelle !

Coincés. Maurice et moi, on écoute. Nous, on irait bien à la messe. Si ça se trouve, après, ils font une fête... Maman reste sans voix. Sous le coup de la surprise, elle ne parvient pas à trouver ses mots. C'est Rose qui répond, avec un grand sourire :

— Pour tout vous dire, chère Madame, nous n'allons pas à la messe, pour la bonne raison que nous ne sommes pas catholiques. Cela dit, nous vous remercions de tant de sollicitude. Nous respectons vos convictions comme, j'en suis sûre, vous respecterez les nôtres.

Ce coup-ci, c'est au tour de la baronne d'accuser le coup. Elle semble très embarrassée :

— Mon Dieu, comment est-ce possible ? Vous n'êtes pas catholiques ? Mais alors... ?

Visiblement Madame la baronne n'a aucune idée de ce que nous pouvons être ! Ça ne doit pas être très courant dans le quartier. Maman est gênée. Elle ne sait pas mentir. Tout aurait été différent si on nous avait posé la question à nous...

— Madame... Je vais vous dire, nous sommes des juifs, des israélites.

J'entends Maurice murmurer :

— Ayayayaïe...

L'autre, entre-temps, a retrouvé son assurance :

— Comment se fait-il que vous ne m'en ayez pas parlé ?

— Vous ne nous l'avez pas demandé...

— Ça ne fait rien, vous auriez dû me le dire !

Rose intervient :

— Mais enfin, madame, qu'est-ce que ça change ?

Explosion :

— Eh bien, puisque vous insistez, je vais vous le dire. Je pensais accueillir chez moi une famille normale... Je n'ai même pas pensé... Et puis... je n'ai pas à me justifier ! Ce serait plutôt à vous de le faire, puisque vous m'avez raconté des histoires !

Claquement de porte.

Je me demande pourquoi on n'est pas une famille normale. On est ni mieux ni moins bien que les autres.

Si.

On doit être moins bien.

Dès le lendemain, on nous explique qu'il faut qu'on déménage. C'est dommage, juste au moment où je commençais à m'habituer...

Fernand nous dépose devant le centre d'accueil. Lui aussi semble nous en vouloir. Il ne desserre pas les dents pendant tout le trajet. Il nous débarque en vitesse et redémarre.

Valises, marche, retour à la case départ.

On monte dans un car.

On repart...

10

Nous roulons longtemps... très longtemps. Quand je me réveille, on est en pleine campagne. Une campagne comme je n'en ai encore jamais vu. C'est plein de couleurs partout, alors qu'on est en automne. Du jaune dans les champs, l'herbe verte dans les prés, le rouge des forêts. Je secoue Maurice :

— C'est chouette par ici... Tu crois que c'est comme ça en Amérique ?

Il hausse les épaules :

— Je ne sais pas, mais on n'en prend pas le chemin. Je vais te dire, mon petit Jojo, on va se retrouver dans un bled paumé ! Remarque, c'est peut-être mieux comme ça. Au moins, on ne se fera pas virer. On pourra attendre peinards la fin de la guerre...

Pas mal vu.

C'est vrai que ras la casquette des voyages.

Maman en est encore à se lamenter :

— Rose... Je suis tellement désolée... Tu ne m'en veux pas de lui avoir dit la vérité... Si j'avais pu me douter...

Rose rassure Maman :

— C'est pas grave... Maintenant, on sait à quoi s'en tenir. Mais tout de même, j'aimerais bien qu'on nous dise où on va...

Quelques instants plus tard, on s'arrête devant une maison sur laquelle flotte le drapeau français. Un type avec une écharpe bleu blanc rouge s'avance, entouré d'hommes et de femmes qui sont là pour s'occuper de nous. On entre dans ce qui doit être sûrement la mairie. Chaque famille a droit à un ticket sur lequel il y a un numéro. On nous demande d'attendre. Maurice est assis sur la valise. On nous emmène dans une grande salle pleine de lits de camp. Sur le côté, il y a une grande table où des dames distribuent du café pour faire patienter.

Une fois de plus on attend. C'est long d'attendre tout le temps.

Rose nous confie son bébé :

— Les enfants, restez là bien tranquilles avec Maman. Moi, je vais essayer de parler au maire. Je ne veux pas qu'on nous mette n'importe où.

Mireille fronce les sourcils. C'était mieux dans les bras de sa maman.

Pleurera, pleurera pas ?

Biberon.

Pleurera pas.

Ouf.

Quand Rose revient, elle a le sourire. D'après elle, on a obtenu ce qui se fait de mieux dans le genre. On sera logés pas très loin du village, dans Saint-Aubin-du-Château. On vient nous chercher. Cette fois-ci, c'est pas une Delage. C'est une vieille charrette tirée par un cheval qui a dû faire la guerre.

La première, bien sûr.

On arrive devant une côte. Maurice s'inquiète :

— Tu crois qu'il va pouvoir monter ? Il va falloir pousser, si ça se trouve !

Gagné.

Le vieux Firmin nous demande de descendre. Il encourage son cheval, mais sans y croire vraiment.

On pousse la charrette, Maman porte le bébé et Rose les valises.

Enfin arrivés ! J'ai des crampes dans les mollets et dans les bras. Si la guerre dure encore, je vais finir par être vraiment musclé !

Encore un nouvel endroit. Une très grosse maison au fond d'un parc. Ici, c'est sûr, on ne risque pas d'être dérangés par les voisins. La première ferme doit être à cinq ou six cents mètres et le village à dix ou quinze minutes à pied. Maman s'étonne :

— Dis-moi, Rose, qu'est-ce que tu nous as raconté ? On ne devait pas être dans le village ?

Rose semble fatiguée :

— J'ai pris ce qui me semblait le mieux. A la guerre, comme à la guerre ! On ne va pas faire les difficiles. Vous n'avez pas vu où sont logés les autres !

On lui fait confiance. De toute façon, on n'a pas le choix. C'est pas mal, il y a tout de même une immense chambre et une grande cuisine qui peut aussi servir de salle à manger.

Tout le reste de la maison est barricadé. Il est interdit d'entrer. Evidemment, ça nous donne tout de suite l'envie d'aller voir ça de plus près. On ne se refait pas. On commence par faire le tour du parc. L'allée est bordée d'arbres immenses tellement épais que le soleil ne peut pas passer. C'est étrange, on dirait presque qu'il fait nuit.

Au bout du parc on débouche sur la route. Du haut

de la côte, on aperçoit en contrebas les toits des maisons du village. C'est plutôt rassurant.

Essayons d'être positif :

— C'est bien, dis-je, on n'est pas trop loin du village. Ce sera pratique si on doit aller à l'école.

J'ai dû rater une occasion de me taire. Maurice me jette son regard des mauvais jours :

— Parle pas de malheur !... On est très bien comme ça. Tu voudrais aller à l'école, toi, maintenant ? C'est nouveau !

Oui, c'est nouveau.

J'en ai marre d'être sur les routes ou dans des maisons dont on ne sort jamais. J'aimerais bien, moi, me faire des copains, et tout... Je tente :

— Ben, finalement, l'école, c'est pas si mal quand on n'a rien à faire...

Maurice a l'air accablé :

— Mon pauvre Jojo... Je ne sais vraiment pas ce qu'on va pouvoir faire de toi...

Tout en parlant, on revient sur nos pas. Un chien noir et jaune s'enfuit à notre approche :

— Tiens, dommage ! remarque Maurice. Ça aurait fait un copain pour Woswos !

On arrive par l'entrée principale. Rien à voir avec celle qu'on nous a réservée, derrière la maison. Ici, c'est vraiment majestueux. Tout est fermé. Les propriétaires sont sûrement morts.

— Tu sais pourquoi elle est bouclée cette porte ?

— C'est pour t'empêcher d'entrer, gros malin !

— Moi, je me demande bien ce qu'il y a derrière...

Maurice hoche la tête :

— Pour rentrer, il faut le mot de passe... Comme dans Ali Baba et les quarante voleurs.

Amusant.

— Ce serait plus simple si on avait la clef. Ali Baba, c'est du pipeau, ça n'existe que dans les histoires. Et, en fait de quarante voleurs, on est deux, je te signale.

Il se marre :

— Bon, t'as raison, on rentre. On en a assez vu pour aujourd'hui. Il sera toujours temps de revenir...

On arrive juste pour se mettre à table.

La dalle. Ça sent bon la soupe au chou.

Rose nous sert, l'air un peu renfrogné :

— Vous pourriez prévenir quand vous partez ! On vous a appelés pendant une demi-heure ! C'est moi qui suis allée chercher des légumes et du lait à la ferme. J'ai autre chose à faire, avec le bébé ! A partir de maintenant, c'est vous qui serez de corvée de lait. C'est pas bien difficile, vous ferez ça juste avant de partir pour l'école.

Maurice me jette un regard mauvais. Il n'a pas besoin de parler. Un peu plus tard, au moment de se coucher, avant d'éteindre la lumière, il me balance, hargneux :

— Tu vois, à force de le souhaiter, ça finit toujours par arriver ! Quel besoin t'avais de parler d'école ? Ça te manquait tellement ?

— Non, pas vraiment, mais c'est marrant de voir à quoi ressemble une école dans un village breton ! Et puis, on va sûrement se faire de nouveaux amis, c'est plutôt sympa...

— Ça, c'est ce qu'on verra. Si c'est comme à Freinville, ils vont encore nous prendre pour des Indiens...

Il a le moral vraiment bas, mon frère.

Moi, je ne suis pas trop inquiet. Après tout, on n'a pas la peau rouge, on ne porte pas de couronne de plumes, on ne vit pas sous la tente !

J'essaie de le décoincer un peu :

— J'ai une idée. Si tu ne veux pas qu'ils nous prennent pour des Indiens, on n'a qu'à se déguiser en cow-boys ! C'est comme ça qu'on fait pour tromper l'ennemi !

11

En parlant d'ennemi, je ne croyais pas si bien dire. Il ne nous faut pas longtemps pour comprendre que dans cette école les Parisiens ne sont pas précisément les bienvenus. Nous sommes « de la ville ».

Rebelote.

A la première récré, attroupement autour de nous. Rigolade à propos de nos noms. Franchement, c'est pas parce que c'est moi, mais je ne vois pas bien en quoi Joseph Joffo, ça fait plus bizarre que Loïc Le Gouadec.

Question de goût.

Dialogue intéressant :

— D'où c'est-y qu'ils sortent ceux-là ?

L'un d'eux paraît mieux informé :

— J'vas vous le dire. L'oncle Firmin y m'a dit que ce sont des Parigots. Alors j'y ai dit : les Parigots, c'est tous des têtes de viaux.

On a mieux sur ma droite :

— Si les Parigots sont des têtes de viaux... les Parisiens sont des gueules de chiens.

Amusant.

Ils guettent notre réaction. En vérité, on n'est pas très rassurés. Deux contre toute une bande, ça fait pas lourd. Je me souviens que, dans un film, un explorateur débarque chez les sauvages et leur offre des babioles pour les amadouer. J'ai sur moi quelques agates et deux calots en acier. Sans consulter Maurice, je m'avance vers le chef de la bande :

— Regarde... Vous jouez bien aux billes dans votre village ? T'en as déjà vu des comme ça ? Je te les donne... Prends-les, c'est un cadeau.

Il ne s'attendait pas à ça, ce grand rougeaud aux yeux de crapaud mort. Il fixe ma main grande ouverte. J'insiste :

— Prends-les... Je te jure, elles sont pour toi... Mais, si tu les prends, ça veut dire qu'on est copains.

L'amitié n'a pas de prix. Ou alors elle vaut bien plus

cher que quelques billes. Il me bouscule, et j'ai tout juste le temps de refermer ma main sur mon trésor. Je tombe à moitié sur Maurice. L'autre s'avance vers nous, menaçant. Il nous fixe droit dans les yeux, puis il recule en nous montrant du doigt sa galoche. Il y a un clou énorme planté à l'avant :

— Vous voyez ça, les Parigots ?... C'est pour vous à la sortie ! On va vous apprendre et on va pas vous rater. A tout à l'heure !

Fin de la récré.

Le cours commence. J'ai du mal à me concentrer. Le maître finit par s'apercevoir que quelque chose ne va pas. Il essaie de savoir quoi et de nous mettre à l'aise. C'est très gentil de sa part mais, si on dit la vérité, ce ne sera plus la peine de remettre les pieds dans cette école.

On fait donc les timides.

Genre pas bavards...

Le maître reprend son cours, perplexe.

Quatre heures, c'est l'heure de la sortie. On est prévenus : le plus dur de la journée est devant nous.

Pendant que je remballe mes affaires sans vraiment me presser, Maurice me donne une tape dans le dos :

— T'es prêt ? On va courir plus vite qu'eux. On peut y arriver, ils ont de gros godillots. Te fais pas de bile.

C'est gentil de vouloir m'aider à bien le vivre, mais franchement, je n'en mène pas large. J'en viens à regretter Freinville et ses youyous. On sort de la classe. Je regarde à droite et à gauche. Je crois avoir trouvé :

— Maurice, au fond de la cour, la petite porte qui donne sur l'arrière. On les laisse filer par la grande porte et on se barre par la petite sortie.

Bien pensé. Maurice s'engage le premier. On va leur faire voir à ces « ploucs » que les petits gars de Montmartre savent se défendre. Même si on n'est pas les plus forts, on est sûrement les plus intelligents.

La petite porte résiste, il nous faut bien deux à trois minutes pour l'ouvrir.

Dur.

Ils ne sont pas aussi nuls qu'ils en ont l'air.

Ils nous attendent derrière, en se marrant. Leur chef s'avance vers nous :

— Alors, les Parigots, on crâne plus ! On nous prend pour des idiots ? J'savais ben que vous alliez partir par la p'tite porte. Vous êtes faits comme des rats. Ça ne marche pas avec nous !

Tout en parlant, il nous montre le bout de sa godasse avec le clou qui dépasse.

On est très mal.

Ça va se gâter, là, je le sens, on est mal.

Maurice bondit, décroche un coup de pied bien placé et me crie :

— Jojo, tire-toi !

Celui-là, personne l'a vu venir. Plié en deux, le grand type hurle en se tenant le bas du ventre à deux mains.

Bien fait, bien fait !

C'est un sacré gaillard, mon frère !

On ne demande pas notre reste. Deux minutes plus tard, j'ai un point de côté, il faut bien qu'on s'arrête quelques secondes pour souffler. La partie n'est pas jouée. L'effet de surprise passé, ils sont partis à notre poursuite. Je respire un grand coup et mon frère m'encourage :

— Non, mais tu les as vus ces petits salauds, ils en veulent encore ! Allez, Jojo, du courage... Cours !

Sans hésiter, on fonce vers la forêt. Je les entends gueuler derrière nous :

— Plus vite ! plus vite ! On va les avoir !

J'essaie de mettre la gomme. Je ne sens même pas que j'ai mal tellement j'ai peur. Maurice ralentit un peu. Quelques secondes pour reprendre des forces.

Ils ne sont pas très loin.

— Ça va, Jojo ? Tu peux continuer ?

Je réponds pas, j'ai peur de dire non. J'accélère

encore. Mes poumons vont exploser. Maurice salue l'exploit :

— Bravo ! Encore un petit effort et ils ne nous rattraperont plus !

On ne les entend plus. On s'enfonce un peu plus dans la forêt, c'est plus sûr. On peut enfin s'arrêter de courir. On a les pieds mouillés d'avoir traversé un ruisseau, et mes vêtements ont été déchirés par des ronces et des branches d'arbres trop basses. Maurice semble avoir quelques difficultés à retrouver la bonne route. La nuit tombe, je me demande si on va retrouver notre chemin. Je pense au Petit Poucet. Bonne idée, le coup des cailloux. Ça devrait pouvoir nous inspirer pour raconter nos aventures à Marcel. Je fatigue. On s'en sortira jamais ! Cette fois-ci, on est perdu pour de bon.

En avançant pas à pas, l'un derrière l'autre, on débouche sur un croisement dans le sous-bois. Là, à quelques enjambées, surprise : une petite cabane. Après le Petit Poucet, je sens qu'on va entendre siffler les sept nains.

— Tu vois mon Jojo, faut jamais désespérer !

Evidemment, en général. Mais, dans notre cas à nous, c'est moins sûr. Qui sait ce qu'on va trouver derrière cette porte ? Un ogre ? J'y crois pas bien sûr, mais quand même. Une lumière brille à travers la lucarne qui projette des ombres géantes dans la clairière. Je retiens mon frère par la manche de son chandail :

— Attends... faut d'abord voir ce qui se passe à l'intérieur.

— Pourquoi ? T'as la trouille ?

— T'es marrant, toi ! Ça m'étonnerait qu'on soit chez Blanche-Neige ! Ça ne coûte rien de regarder, c'est plus sûr...

Maurice suit mon conseil. On s'approche très discrètement jusqu'à la fenêtre. Il nous est difficile de l'atteindre, elle est trop haute. Mon frère chuchote :

— Je vais te faire la courte échelle.

OK.

Il croise ses mains. Je le prends par l'épaule et je m'accroche. Pas le temps de faire ouf. Dégringolade. Un peu sonné, j'entends Maurice siffler entre ses dents :

— Non, mais t'es vraiment cruche !

Et une grosse voix que je ne connais pas :

— Ben, dame, qu'est-ce c'est que ça ? Vous pouvez m'dire c'que vous faites en forêt à c't'heure ?

Un géant à barbe blanche se tient dans l'encadrement de la porte. Il est très impressionnant, avec la lumière dans son dos. Maurice ne bouge pas. Le géant commence à s'impatienter :

— Vous avez donc perdu vot'langue ?

Tu rigoles !

Notre langue, on l'a toujours bien pendue.

Il n'est pas long à s'en apercevoir. Il a quelquefois du mal à nous suivre. On parle trop vite et en même temps. A chaque fois qu'on donne un détail, il hoche la tête :

— Ben, dame, ça alors ! Ils n'y sont pas allés avec le dos de la cuillère !

Un vrai feu de bois réchauffe la pièce. C'est une bonne surprise, parce que les nuits bretonnes du mois de novembre, c'est pas de la tarte... Ça sent vachement bon.

De la soupe, je crois.

Cette longue course nous a ouvert l'appétit. De toute façon, on a toujours faim. Maman ne cesse de répéter que c'est un signe de bonne santé.

— Ben, v'là mes gaillards...

Il pose deux assiettes devant nous.

— Avec Françoué, c'est comme ça : quand il y en a pour un, y'en a pour deux et même pour trois !

Je ne sais pas avec quoi est faite cette soupe, mais on n'en a jamais mangé une aussi délicieuse. On termine le chaudron. François sourit de nous voir avaler avec autant d'appétit :

— Ben, les p'tits gars, faut pas vous en promettre ! Mais maintenant qu'vous avez repris des forces, faut rentrer chez vous. J'vas vous conduire un bout d'chemin. Faudrait pas que vous fassiez de mauvaises rencontres.

Bien d'accord. Il était temps que ça change. François, avec ses assiettes de soupe, vient de nous réconcilier avec la Bretagne et les Bretons. C'est pas le moment de retomber sur une tuile.

Le retour n'a rien d'un triomphe. Maman nous regarde sans comprendre. Ce qui est dingue, c'est qu'on parvient encore à l'étonner. Rose, folle d'inquiétude, arrive du village où elle a prévenu les autorités. Elle repart aussitôt dans l'autre sens, jusqu'à la mairie, pour signaler notre retour.

Nous sommes épuisés. Maman me serre dans ses bras en murmurant :

— Yosselé, mon petit chou...

Elle est heureuse de nous retrouver. On s'en tire pas mal. Tout au plus quelques égratignures par-ci par-là. C'est pas bien grave. Une bonne nuit là-dessus, et on n'y pensera plus.

Avant de m'endormir, je sens sur moi le museau humide de Woswos. Je lui gratouille la tête. Il me lèche.

Mes paupières sont lourdes... Ma dernière pensée est pour l'école de demain.

Que va-t-il encore nous arriver ? Je me sens pas du tout prêt à recommencer.

12

Avant de nous laisser partir pour l'école, Maman ne cesse de répéter :

— Surtout, faites bien attention... Si vous voyez qu'ils vous embêtent, ne répondez pas. Il faut tout de suite prévenir le maître. Lui, il fera ce qu'il faut.

Arrivés à l'école, on comprend que cette journée sera différente de la précédente. D'abord, le garçon à la galoche cloutée n'est pas là. Quant à ses copains, ils semblent revenus à de meilleurs sentiments. L'un d'entre eux s'approche :

— Ben, on est contents de vous revoir. Quand vous êtes partis dans la forêt, on a eu la trouille. On était sûr que vous alliez vous perdre. La nuit dans la forêt, c'est pas ben drôle ! Nous, on vous veut pas de mal, c'est l'Bertrand, il en a après tout le monde...

Chaque bande a son Aaron. Fatalité.

— Quand on vous a pas vus ressortir, poursuit l'autre, il a eu tellement peur qu'il est allé tout raconter à son père qui est gendarme. Il a dû prendre une de ces tannées qu'ça pourrait ben être pour c'te bonne raison qu'il n'est pas là ce matin.

On va pas pleurer, mon gars.

Maurice me jette un coup d'œil rapide, il crache :

— Bof, il ne mérite pas ça. Nous, on adore se balader en forêt la nuit. Parce que Paris, c'est l'aventure tous les jours. Alors la forêt, ça nous promène...

L'autre n'en croit pas ses oreilles, et ne cesse de répéter :

— Ben, dame... en v'là une affaire, si j'avions su ! On s'est fait ben du mauvais sang pour rin.

Je m'apprête à lui faire remarquer qu'on n'est pas « rin », mais la cloche sonne. C'est l'heure de rentrer en cours. Tous en rang devant les trois marches qui mènent à la salle de classe. On est à peine assis que le maître arrive, accompagné du maire et du gendarme suivi de son andouille de fils à la galoche cloutée.

C'est pas toujours drôle d'être parent, faut reconnaître.

Au-dessus du pupitre du maître, à côté du tableau noir, se trouve une grande carte de France. Le maire nous salue, il toussote pour s'éclaircir la voix, puis il indique sur la carte deux points précis et nous interroge :

— Je veux savoir, les enfants, où se situent les

endroits que je viens d'indiquer sur la carte. L'un de vous peut-il répondre ?

La classe est figée. Grand silence. On pourrait entendre les mouches voler. Elles se font rares, remarque, en cette saison. Elles doivent avoir aussi froid que nous...

Personne donc ne répond. Le maire se tourne alors vers Bertrand l'Andouille :

— Bertrand, il paraît que tu es très fort en géographie. Cette carte, tu la connais ? Que représente-t-elle ?

Bertrand baisse la tête. Son père lui tire l'oreille. Ça marche :

— Ben, m'sieur, c'est la carte de la France.

Le maire maintient la pression :

— Bon. Et les deux endroits que j'ai indiqués sur cette carte, où se trouvent-ils ?

Pauvres de nous.

— Alors, réponds !

Taloche du père.

— Ben, le gros point noir en haut, c'est Paris et le petit point, c'est notre village, c'est Saint-Aubin, en Bretagne.

Le maître d'école insiste :

— Dis-moi, mon garçon, la Bretagne, c'est où ? C'est quoi la Bretagne ?

Il semble bien embarrassé, le pauvre Bertrand. Il s'est jamais demandé jusqu'à aujourd'hui où était la Bretagne. Il croyait que c'était un problème réglé. Le rouge de l'oreille fait un joli contraste avec le noir du tableau et le vert de la Beauce, qui est le grenier à blé de la France, comme chacun sait. Bertrand cherche de l'air. Il va répondre. Il ouvre la bouche, la referme.

Fausse alerte.

— Bertrand, j'attends.

Nous aussi, je signale.

— Ben, m'sieur, la Bretagne, c'est en Bretagne, et c'est le pays des Bretons...

On ne presse pas une orange qui n'a plus de jus.

Bertrand est allé bien au-delà de ses capacités. Avec la torgnole qu'il a dû prendre hier, ça lui fait les traits tirés.

Le maître le regarde, l'air navré. On ne s'en sortira pas. Le maire prend les choses en main :

— Certes. Mais il y a une chose que tu n'as pas encore comprise : c'est que la Bretagne, c'est en France ! Et que nous, les Bretons, nous sommes français, comme le sont les Corses, les Auvergnats, les Alsaciens, ou les petits Parisiens qui sont venus nous rendre visite et qu'il est de notre devoir de bien accueillir. Je sais parfaitement ce qui s'est passé hier. Il est hors de question que cela se reproduise. On ne va tout de même pas se tromper d'ennemis et se battre entre Français ! Il ne manquerait plus que ça !

Il se tourne vers Bertrand :

— Bon, tu as compris, tu vas t'excuser auprès de tes camarades. Serrez-vous la main. C'est fini.

On s'approche de lui et on tend la main.

— Ben, dame... je m'excuse... J'sais pas bien ce qui m'a pris, y'avait point de raisons !

Maurice et moi, on se regarde. Ça serait pas la première fois qu'on nous tombe dessus sans raison...

Monsieur le maire sort et la classe reprend son aspect normal. Maurice et moi, on met un point d'honneur à faire mieux que d'habitude. On essaie de répondre correctement aux questions.

Coup de bol, il nous arrive de trouver les bonnes réponses. Quand l'heure de la sortie sonne, on passe le portail en rigolant.

Nous marchons, Maurice et moi, seuls sur la route. Il a l'air pensif. D'un coup, il me sort :

— Tu vois Jojo, il y a une chose que j'ai apprise aujourd'hui que je ne vais pas oublier de sitôt.

Dans la famille « Leçon de morale », le Frangin. Bonne pioche. Faisons-lui ce petit plaisir :

— C'est quoi ?

— Devine ? Tu donnes ta langue au chat ?

— Vas-y.

— C'est tout simple, je ne savais pas que la Bretagne était en France.

Là, je dois dire qu'il m'a eu.

13

Tout va bien. Maman a le sourire, le facteur est passé par là. Depuis le temps qu'on l'attend, le courrier est enfin arrivé jusqu'au plus profond de la Bretagne. Plusieurs semaines déjà que Maman guette son arrivée. Aujourd'hui est donc un grand jour : nous avons des nouvelles fraîches de la famille. Rose les lui lit depuis ce matin et Maman les connaît par cœur. Nous avons des détails sur la vie au régiment. Albert donne dans la grande littérature :

Tout va bien, ici c'est le luxe dans le confort. Je dors dans un lit, je bois dans un verre, je mange dans une assiette.

Maurice me pince :

— A ton avis, il pisse dans quoi ?

C'est vrai. A le lire, on s'imagine que la guerre, c'est relax. L'endroit où il se trouve, « quelque part en France », ça fait un peu vacances, vu ses descriptions. Dans aucune de leurs lettres mes frères ne se plaignent. Ils ont bien raison, parce qu'on ne peut rien faire pour eux... Quant à mon père, il nous aime, il pense à nous et, pour terminer, il nous annonce sa venue très bientôt. Que demander de plus ? Surtout que la radio qu'on écoute tous les jours diffuse des nouvelles rassurantes. C'est tous les jours les mêmes trucs : « Rien de nouveau sur l'ensemble du front » ou « Quelques tirs sporadiques de l'artillerie ennemie n'ont pu atteindre nos lignes ». On écoute sans vraiment comprendre.

— C'est quoi, sporadique ?

— Chut !

— Pourquoi ils tirent s'ils ne sont pas fichus d'atteindre nos lignes ?

— Parce que nous, les Français, on n'est pas des niais. On s'est mis hors de portée de leurs canons !

Il est drôlement intelligent mon frère. Il a dû lire ça quelque part. C'est vrai qu'on sait y faire, nous les Français. On a parfaitement compris que le meilleur moyen pour éviter le pire, c'est de se tenir le plus loin possible des canons allemands. Mais voilà, cette tactique a tout de même un inconvénient : c'est que, nous non plus, on ne peut pas leur faire du mal ! Ça peut durer longtemps ! Moi, quand je leur entends dire « Le grand art de la guerre c'est d'infliger de lourdes pertes en hommes et en matériel à l'ennemi », je pense que c'est pas demain la veille, à ce rythme-là...

De temps en temps, le maître d'école nous demande de nous rappeler que nos frères, nos parents, nos amis se battent sur tous les fronts pour que « vive la France » éternelle. Nous, on baisse la tête, parce que, c'est vrai, on a de la peine mais on n'arrive pas à y penser tout le temps. Pourtant, maintenant, on sait que c'est terrible, la guerre. Quand le maître nous parle de la précédente, celle de 14-18, on n'a guère envie de rigoler. Lui, il y était. Alors, forcément, quand il raconte, c'est impressionnant.

Silence dans la classe.

Ça devait être la der des der. Lui, il ne l'avale pas. Qu'on puisse recommencer, ça le tue. Il veut que l'on sache comment les Allemands ont utilisé des gaz asphyxiants, alors que c'était défendu. Et puis, quand il parle des tranchées, je préfère pas imaginer mes frères là-dedans, ça me fait froid dans le dos...

J'ai hâte que tout ça finisse et qu'on retourne à Paris, tous ensemble en famille.

Hier, on n'a pas fêté Hanoucah.

Dans sa dernière lettre, mon père dit qu'il ne peut pas quitter le salon. Maman ne le prend pas très bien.

— Te fais pas de souci. Tu sais bien qu'il n'y a personne pour garder la boutique...

Maurice ajoute :

— C'est vrai. Avec Henri et Albert qui ne sont pas là, il faut quelqu'un pour surveiller.

Il y a bien Esther et Madeleine qui sont restées pour tenir le salon, mais mon père ne veut pas les laisser seules à Paris. Rose réfléchit tout haut :

— Dans le fond, ici, on peut se passer de toi. Si tu remontais à Paris, c'est peut-être ce qu'il veut, Papa ?

Maman hésite, puis elle s'adresse à nous :

— Si je pars, vous vous conduirez bien avec Rose ? Elle a déjà son bébé. Il ne faut pas lui donner du travail en plus...

Ben voyons.

On promet tout en bloc : on fera le ménage, les courses, le linge. Et plus encore. On lui dit tout ce qu'elle veut entendre. Bien sûr, j'arrive même pas à imaginer qu'elle va nous laisser, mais elle sera sûrement mieux auprès de Papa. C'est la première fois qu'on se sépare. Rose nous fait la leçon :

— Les garçons, vous allez vous conduire comme des hommes. Pas de larmes, pas de cris. Il ne faut pas qu'elle se fasse du souci. Même si on est triste, qu'elle ne s'en aperçoive pas ! C'est bien compris ?

Message reçu. On tient le coup. Quand Firmin vient chercher Maman avec sa vieille carriole, on fait semblant d'être contents pour elle, et on l'embrasse sur les deux joues. Elle nous fait ses dernières recommandations. On est bien d'accord sur tout. Elle nous promet de revenir vite.

On la croit, mais au fond, comment savoir...

14

Rose n'a pas à se plaindre. Depuis le départ de Maman, on est super réglo. Dès qu'elle nous demande un truc, on s'exécute sans rechigner. Elle nous dit d'aller chercher du bois : on prend la brouette, un chariot, et on y va. Au fond c'est pas bien difficile, la forêt n'a plus de secrets pour nous. On rapporte assez de fagots pour soutenir un siège. Il ne faut pas que le bébé ait froid. Etre un oncle, c'est aussi faire gaffe à ça ! Alors on coupe, on taille, on casse, on ramasse, on entasse. Le grand chien jaune et noir nous suit à chaque fois. Depuis notre arrivée au village, il ne se passe pas une journée sans qu'il vienne faire un petit tour avec nous. Il est plutôt sympathique, avec ses oreilles qui pendouillent, ses yeux tristes et sa queue en trompette. Maurice le caresse :

— C'est drôle qu'il nous suive tout le temps. On ne sait toujours pas comment il s'appelle...

— C'est sans importance, on n'a pas besoin de l'appeler puisqu'il vient tout seul...

— Toi aussi, tu me colles aux basques sans que j'te sonne, ça ne veut pas dire que tu ne t'appelles pas !

Je vais répondre quand le vieux Firmin débouche dans la clairière :

— Alors, les enfants, vous v'là ben embarqués, le Blum y vous a adoptés !

Blum.

Notre nouvel ami s'appelle Blum. Ça étonne Maurice :

— C'est un drôle de nom pour un chien...

— C'est peut-être un nom breton.

Après avoir déchargé nos fagots dans la grange, on se secoue pour rentrer à la maison. Les brindilles collent à nos chandails, c'est pas très pratique. On caresse le chien pour lui dire au revoir avant de rentrer à la maison qui est à deux pas. Seulement, au lieu de reprendre sa promenade, Blum nous regarde en remuant la queue et nous suit dès qu'on avance. Il ne veut plus nous quitter. Je regarde Maurice :

— Le plus simple, c'est d'en parler à Rose... Dans le fond, on serait mieux gardé par deux chiens que par un seul, qu'est-ce que t'en penses ?

— Et encore mieux avec trois qu'avec deux !... C'est comme ça qu'on finit avec une meute ! Je te signale que Woswos risque de ne pas être content du tout que Blum vienne à la maison... Qu'est-ce qu'on va faire s'ils se battent ?

C'est vrai, ça. Je n'y avais même pas pensé. Pourtant je ne vais pas abandonner ce chien si gentil alors que l'hiver arrive et qu'il fait déjà si froid !

Idée.

— Garde-le avec toi, je vais chercher Woswos. On va bien voir...

Sur le trajet, je lui explique la situation en détail :

— Tu sais, Woswos, il est tout seul, on ne peut pas le laisser dans la nature, vous n'allez quand même pas vous battre s'il rentre dans la maison ?

En fait, je ne sais pas du tout comment ils vont réagir. J'ai vraiment la trouille.

Blum est là, bien tranquille près de Maurice. Dès qu'il voit Woswos, il se dresse sur ses pattes, ses oreilles se mettent péniblement à la verticale, mais il ne cherche pas à fuir. Woswos semble plutôt méfiant. Il s'approche doucement, tourne autour de Blum en le reniflant. Aucun grognement, tout se passe très bien. Blum se couche aux pieds de Maurice et Woswos revient près de moi. Quand enfin nous partons, ils courent l'un devant l'autre comme les meilleurs amis du monde. Maurice et moi, on n'en revient pas :

— Non, mais t'as vu ça ! On dirait qu'ils se connaissent depuis toujours !

— Ils sont moins bêtes que nous. Nous, on a failli s'entre-tuer avec nos copains...

A la maison, Rose remarque seulement :

— Ils y vont un peu fort dans ce pays ! Donner le nom du chef du gouvernement à un chien ! C'est sûrement parce que Léon Blum est juif qu'ils ont appelé ce cleps comme ça...

C'est peut-être pour ça qu'il nous a adoptés.

Ça nous fait un compagnon de plus. Ça aide un peu à trouver le temps moins long. Cet hiver semble ne pas vouloir finir. Maman ne revient pas. Nous recevons de moins en moins de courrier. Et les communiqués que diffuse la radio ne sont pas très encourageants. Heureusement, nous avons suffisamment de bois avec la forêt juste à côté. Il fait vraiment très froid. Le matin, tout est gelé. Nous partons en compagnie de nos deux chiens qui s'amusent sans arrêt ensemble. Bien souvent, ils vont au-devant de nous, et débusquent un lièvre ou un lapin. C'est beau de les voir courir, marquer l'arrêt, puis aboyer derrière un faisan qui s'envole. A chaque fois j'ai le cœur qui bat un peu plus fort. Maurice et moi, on ne bouge pas et on observe. Le plus dur, après, c'est de reprendre notre travail : il faut charger le bois. Ça fait froid aux mains.

On rentre ensuite pour prendre notre petit déjeuner avec Rose et on part pour l'école. Nous, au moins, on a ça pour occuper nos journées.

Ce n'est pas le cas de Rose, qui s'ennuie pas mal, malgré les progrès de Mireille qui devient de plus en plus mignonne. C'est une petite fille très souriante, comme sa maman, mais niveau conversation, c'est pas encore ça. Je crois que Rose se languit de Georges, aussi.

15

Mars vient nous surprendre. Il fait moins froid, mais par habitude nous continuons de ramasser du bois. Je traîne mon chariot, Maurice pousse la brouette. Les chiens gambadent devant en nous ouvrant le chemin. On empile les fagots dans la grange.

Belle balade.

— On a encore fait du bon boulot ! Rose va être contente.

Je ne crois pas si bien dire ! Rose est heureuse : son mari vient d'arriver. C'est bon de se revoir après une si longue absence ! On veut tout savoir. A-t-il vu nos parents ? A-t-il des nouvelles d'Henri et d'Albert ? Pourquoi le courrier se fait-il de plus en plus rare ? Que se passe-t-il à Paris ? Où en sommes-nous avec cette fichue guerre ?

Ses réponses nous mettent le moral dans les chaussettes. Les Allemands sont entrés en Belgique, le front est enfoncé. L'avenir est plus qu'incertain. Georges a obtenu une permission de quarante-huit heures en tant que père de famille. Il en profite. Tout en nous parlant, il tient sa petite fille sur ses genoux et la couvre de baisers. Mireille joue avec le nez de son papa et lui tire les cheveux. Georges semble ne pas s'en apercevoir et continue de nous donner des nouvelles. Hélas, en ce qui concerne nos parents et nos aînés, il ne sait rien de plus que nous. Il insiste pour que nous gardions confiance. Rose a l'air très émue. Elle nous sert la soupe aux potirons et l'omelette au fromage. On se régale ! Georges garde Mireille dans ses bras tout en mangeant :

— De toute façon, il ne faut pas désespérer. En 1914, ça s'est passé un peu comme ça. On les a laissés entrer puis on les a arrêtés sur la Marne. Vous allez voir, on va les prendre en tenaille. C'est probablement une ruse de notre état-major, cette avancée...

On est bien d'accord. A la guerre, c'est comme avec les Sioux. Il faut ruser. Georges nous demande comment se passe l'école. Pour finir, Maurice lui dit :

— Tu sais, ici, c'est pas l'Amérique ! C'est pas un bled pour nous. Y'a même pas d'usine, pas de déchets de cuivre... Il est grand temps qu'on remonte à Paris pour se refaire...

C'est vrai que l'air de Paris continue à nous manquer, même si on s'est habitués. De temps à autre, on fait nos comptes. L'Amérique, à ce train-là, ça n'est pas pour tout de suite. Ici, bien sûr, on fait quelques petits boulots, comme rentrer les foins, ou garder les vaches. Mais on nous paie en œufs, en poulets et en patates. Evidemment, ça nous aide à vivre, mais un billet d'avion, ça ne se paie pas en poulets... En plus, dans ce bled, ils ont le coup de pied au cul facile. Tous les prétextes sont bons : les vaches sont sorties trop tôt ou rentrées trop tard, les étables ne sont pas bien nettoyées, le râteau n'est pas rangé... C'est vrai qu'on n'est pas spécialement doués. Mais quand même ! C'est pas que les fermiers bretons soient méchants, mais ils sont durs avec eux-mêmes, alors ils le sont avec les autres. Et, quelquefois, les autres, c'est nous...

Sans compter qu'ils ont un sens de l'humour... Genre Germaine qui, perchée sur un tas de feuilles, crie au fils de la patronne :

— Françoué, va chercher les oués qui sont montées sur les toués !

Comme Françoué ne vient pas, Maurice et moué, on prend l'échelle pour vouère les oués sur les toués et les faire descendre. Il n'y a naturellement jamais eu d'oués sur les toués... Ça les fait tous rigoler de voir qu'on est monté pour rien.

Amusant, amusant.

Bref, niveau fric, il est temps qu'on regagne la capitale...

C'est ce qui arrive fin juin. L'armistice est signé. Ici à Saint-Aubin, ils semblent tous assez contents de la tournure des événements. Tout le monde en a marre de la guerre. Les hommes vont rentrer et c'est pas trop tôt ! Et puis, il paraît que c'est ce qu'il y a de mieux pour nous... C'est le Maréchal qui le dit.

Avec Maurice, on a fait vachement de progrès en politique. Avant, on s'en foutait, mais avec tout ça, on en parle souvent :

— C'est bien, me dit-il, Henri et Albert vont revenir...

Il écorce un bâton avec un canif. On est assis dehors sur un tronc d'arbre. Blum et Woswos se courent après.

— Mais quand même... On a perdu la guerre...

Ça, c'est sûr, c'est terrible. Mais on va pas se laisser abattre :

— Oui, mais en France, on a de la chance : on a le Maréchal. Tu l'as entendu à la radio dire : « Je fais à la France le don de ma personne »... T'en connais beaucoup, toi, des types qui parlent comme ça ? Tu vas voir, avec lui, on va s'en sortir.

Maurice n'a pas l'air convaincu. Rose nous écoute avec Mireille dans les bras depuis plusieurs minutes. Maurice lève le menton et, fronçant le nez à cause du soleil, il lui demande :

— Qu'est-ce que t'en penses, toi ?

Rose sourit :

— Les enfants, ce qu'il faut maintenant, c'est attendre et voir venir... Plus tard, on saura ce que cet armistice signifie. Pour l'instant, ce n'est pas si mal puisque la guerre est finie. On va enfin retrouver le reste de la famille. Albert et Henri vont rentrer, et moi, je peux enfin retrouver Georges. Allez, on n'a plus qu'à préparer nos bagages ! Demain, on prend le premier train pour Paris !

Nos bagages sont vite faits : deux petites valises, deux musettes. C'est pas bien lourd à porter. De toute façon, Firmin et sa carriole viennent nous chercher pour nous conduire à la gare.

Mais je ne me sens pas bien du tout à l'idée d'abandonner Blum. Je ne peux pas me résigner. Il n'est, bien sûr, pas question d'un deuxième chien à la maison. Je tourne en rond. Blum et Woswos sont couchés sur les valises. Je crois qu'ils savent qu'on s'en va. Firmin me promet qu'il prendra soin de Blum.

J'ai la gorge serrée quand je monte dans le train. Blum est sur le quai, il remue la queue. Woswos tire sur sa laisse, on dirait qu'il comprend qu'on se sépare.

J'ai pas pleuré, parce que Maurice aurait encore ricané.

Quand on débarque à la gare Montparnasse, il ne faut pas être bien malin pour s'apercevoir que Paris a changé. Le moins qu'on puisse dire, c'est que les Allemands ne donnent pas dans la discrétion. Ils sont partout, à la terrasse des bistros, dans les couloirs du métro, dans les autobus. On ne peut vraiment pas les rater !

Ça fait vraiment bizarre et ça me met mal à l'aise...

Mais bon. Je ne vais pas me gâcher ce retour que j'attends depuis si longtemps ! Enfin chez nous ! Qu'il est bon de retrouver notre quartier, nos habitudes... Même la concierge est contente de nous revoir, c'est dire si la guerre change les gens ! Tout notre monde est là quand on arrive. On a tant de trucs à se raconter... Mais il faut pour cela que les embrassades soient finies et, sur ce coup-là, on joue les prolongations. Mes parents racontent. Sans nouvelles d'Henri, ils l'ont cru perdu ou prisonnier et eux-mêmes ils ont dû fuir la capitale. Ils sont partis à pied sur les routes de l'exode jusqu'à Etampes, sans trop savoir où ils allaient, en suivant les autres. Maman a assisté à une scène atroce qu'elle nous raconte avec les larmes aux yeux.

Un soldat français est cerné par un groupe de Panzers qui le tient en joue. Un Allemand s'avance et lui dit :

— Kamarade ? Kamarade ?

Le Français répond :

— Jamais ! Je suis français et je le reste !

Le coup de fusil claque, le soldat s'écroule. Les autres s'en vont sans se retourner. Bouleversée, Maman n'a pas vu que la charrette sur laquelle elle a déposé sa valise s'est éloignée. Des avions allemands mitraillent la colonne de réfugiés. Ils se jettent dans le fossé sur le bord de la route. Quand les avions s'éloignent, mon père dit à ma mère :

— Nous n'avons plus rien, j'avais mis toutes nos économies dans la valise.

Maman, même sous le choc, prouve qu'elle est courageuse :

— Ce n'est pas grave, le plus important, c'est que nous soyons en vie !

Elle conclut en nous disant :

— Bien sûr, la valise on ne l'a pas revue. Mais on a eu de la chance, le bonhomme qui conduisait la charrette, on l'a retrouvé mort, une balle en pleine tête, mitraillé par les avions. Alors la valise...

Papa l'embrasse et poursuit :

— Et puis, quand on est revenus, on a eu une bonne surprise. Henri et Albert étaient de retour. Eux aussi ont eu de la chance !

C'est vrai, Henri aurait pu finir à Dunkerque et Albert être fait prisonnier. Tous les deux sont revenus sans trop de problèmes.

Mieux encore, quand le régiment d'Albert s'est replié dans la débâcle, le capitaine leur a dit :

— On ne laisse rien à l'ennemi, on se disperse, et chacun prend ce qu'il veut.

Albert a rapporté trente-sept paires de godillots !

Quelques jours plus tard, tous les copains du quartier marchent avec les pompes de l'armée française !

16

Après un formidable déjeuner, alors que les autres écoutent les dernières mauvaises nouvelles à la radio, Maurice et moi, on fait le point. On a une grande décision à prendre : il nous reste quelques économies et nos parents ont tout perdu. C'est un véritable cas de conscience. L'esprit de famille, c'est normal et, puisque la situation exige un sacrifice de notre part, nous le faisons, sans regrets.

Enfin presque...

Je me console en me disant que l'Amérique, sans Blanche, ça n'est pas ce que je rêvais.

Mon père est en grande discussion avec Maman. On s'approche. J'embrasse Maman pendant que Maurice tend l'argent à mon père, qui s'étonne :

— Qu'est-ce que c'est ?

— Si tu comptes, tu vas voir, on n'a pas tout perdu, dit Maurice.

Quand il termine de compter, mon père a les larmes aux yeux :

— *Goldene kinder. Hob dir tumet gesukt*[1] *!*

On est d'accord.

Papa s'adresse à la famille :

— Je ne sais plus qui a dit, un jour, qu'on a souvent besoin d'un plus petit que soi. Ce gars-là n'avait pas tort. Mes deux derniers, sans que je leur demande, ont cassé leur tirelire ! Ils me donnent toutes leurs économies : quatre cent quatre-vingt-dix-huit francs et cinquante centimes. Une petite fortune. Je dois avouer que ça ne peut pas mieux tomber. Il y a deux jours, j'ai trouvé un lot de chemises. Je ne savais pas comment les payer... Je propose un triple Hourra pour Maurice et Jojo.

J'ai rarement été aussi fier. Maurice bombe le torse sous les acclamations.

Après ces instants d'intense émotion, on retourne, Maurice et moi, dans notre chambre. Il faut qu'on discute. Cette fois, on est fauchés comme les blés. On a donné la totalité de nos économies.

Il faut repartir de zéro...

— L'Amérique et les grands espaces, c'est pas du tout cuit, me dit Maurice. Tout est à refaire.

— C'est pas grave, ça valait le coup... Et puis on

1. Des enfants en or, je te l'ai toujours dit !

n'a que ça à faire... L'Amérique, ce sera pour plus tard... On a le temps.

— T'as peut-être raison. On pourrait faire un détour par le bois de Freinville.

— Bonne idée, on peut toujours aller voir...

C'est ce qu'on fait. Dès le lendemain, on chope le premier train qui passe au pont Marcadet et on descend à Freinville. Nina et ses frères sont contents de nous revoir. C'est bon d'avoir des amis. On se balade tous ensemble jusqu'à l'usine de freins. Elle ne fonctionne plus. Freinville est une ville morte. Rocco est lugubre :

— Quand une ousine ne marche plous, commente-t-il, il ne peut plous y avoir des déchettes.

Je trouve le bois de Freinville plutôt tristounet, comparé aux forêts bretonnes.

— Tu vois, même Freinville, ça n'a plus rien à voir avec l'Amérique... Va falloir trouver autre chose.

On a beau se creuser les méninges, on ne trouve rien, ou pas grand-chose. Le temps des restrictions est venu. Même les pastilles Valda sont difficiles à dégoter. Il nous faut parfois faire dix ou vingt pharmacies pour revenir avec quelques boîtes. D'une boîte, on en fait deux et on les revend dans les couloirs du métro. Le plus difficile, c'est de trouver des boîtes vides... On y arrive, à force d'organisation.

C'est pas la gloire et ça suffit tout juste à notre argent de poche. Disons que c'est mieux que rien...

Notre quartier change. Les Boches sont partout et les juifs rasent les murs. On ne se sent en sécurité nulle part. Pour nous, la guerre n'est peut-être pas finie...

Albert et Henri ont été démobilisés, mais ils reçoivent une convocation. Ils doivent se présenter à la préfecture. L'Allemagne a besoin de travailleurs. Ils ne s'y rendent pas. Trois jours plus tard, deux gendarmes viennent les chercher. Mon père les reçoit poliment :

— Messieurs les gendarmes, que voulez-vous que je vous dise... Ils sont majeurs. Ils sont partis sans laisser d'adresse.

Mon père est tendu. Il prend un gros risque. Henri et Albert se sont réfugiés chez Rose, en attendant de pouvoir mieux organiser leur départ. Planqués dans l'escalier, on assiste à la scène. Je crois que les gendarmes ne sont pas dupes. Ils font leur métier, mais sans grande conviction :

— C'est bon, c'est bien ce qu'on pensait, c'est la même réponse un peu partout... Ils seront recherchés. Si vous avez de leurs nouvelles, prévenez-nous. C'est dans leur intérêt.

Mon père leur ouvre la porte :

— Je n'en doute pas, messieurs. Comptez sur moi.

Une fois qu'ils ont disparu, Papa s'assied, pose ses coudes sur ses genoux et prend sa tête dans ses mains.

Maurice et moi, on se regarde.

Cette fois, c'est vraiment grave.

17

Du plus haut de notre escalier, au salon de coiffure, on écoute, comme d'hab, les commentaires des uns et des autres. Tout va très vite. Mes frères viennent d'arriver :

— Les enfants, je ne sais pas ce que nous allons devenir. Je ne suis plus français... Avec deux fils qui ont fait la guerre...

— Ils sont devenus cinglés. C'est pour ça qu'on est venus vous embrasser. Henri et moi nous allons partir.

Lewinson arrive au salon. Mais c'est seulement

pour parler, même plus pour se faire raser. Il soupire :

— C'est fichu pour nous. Ils ont créé un Commissariat pour la question juive. Ils vont nous recenser. Ça ne présage rien de bon.

Hans, un réfugié allemand qu'on voit souvent, confirme :

— Oui, c'est comme ça que tout a commencé chez nous. Une fois qu'on est sur leurs listes, ils n'ont plus qu'à venir nous chercher !

Henri grimpe l'escalier et nous trouve.

— Qu'est-ce qu'il veut dire, Hans ? « Ils vont venir nous chercher » ? Mais pour quoi faire ? Qu'est-ce qu'ils peuvent faire de nous ?

Henri me prend dans ses bras :

— Ce n'est pas pour nous faire du bien. Il faut foutre le camp en vitesse. Nous, on part en reconnaissance. Quand on sera installés, vous viendrez nous rejoindre.

Mais mon père répète :

— La France, c'est pas l'Allemagne, c'est le pays des Droits de l'Homme ! Moi, je vais aller me faire recenser, j'ai confiance en mon pays.

Maman ne partage pas son avis. Elle se souvient qu'elle a dû quitter la Russie au moment des pogroms d'Odessa[1] :

— Il faut se méfier ! Ça commence toujours comme ça ! Quand on s'aperçoit du danger, c'est trop tard.

Ça nous fout la trouille, tout ça. Avec Maurice, on décide de sortir s'aérer un peu. On a à peine traversé la rue qu'on tombe sur une affichette jaune imprimée en gros caractères :

YIDDISH GESCHEFT.

— C'est quoi, ce machin ?

— Ça veut dire que c'est une affaire juive...

1. Voir *Anna et son orchestre*.

— Et alors ? C'est pas nouveau !

— Ouais, mais les Boches s'imaginent que plus personne n'y viendra.

— Mais tout le monde le sait dans le quartier que c'est une affaire juive, et ça ne dérange personne !

— C'est justement pour ça que c'est grave... Quand ceux qui aiment pas les juifs vont voir que leur truc ne marche pas, ils vont chercher autre chose et ça risque d'être pire...

De toute façon, va falloir s'y habituer. Parce qu'au fur et à mesure qu'on se balade, on voit fleurir les affichettes. On entend parfois des réflexions du style :

— J'aurais pas cru qu'ils étaient si nombreux... Bande de salauds.

A notre retour Maman nous apprend que le boucher Yenkélé a été arrêté :

— On l'avait prévenu, il n'a rien voulu savoir. Il était sur la liste, le commissaire l'avait dit à Papa.

Pour le moment il paraît que, nous, on ne risque rien. Le commissaire responsable des arrestations dans le dix-huitième arrondissement vient se faire coiffer au salon. Bien sûr, il ne paie pas. Mais il pourrait trouver un autre coiffeur, et alors ce serait notre tour... C'est pourquoi Esther, Rose et Madeleine sont passées en zone libre pour rejoindre Henri et Albert. Pour eux tout s'arrange, ils sont à Menton, ils ont trouvé du travail. De temps à autre, une lettre nous parvient. A chaque fois, ils nous demandent de quitter Paris. Pour le moment, mon père ne veut pas. Quand Maman lui dit :

— Partons avec les enfants, ça ne va pas s'arranger...

Papa répond :

— Il faut attendre. Je ne veux pas abandonner le travail de toute une vie.

Maman insiste :

— Qu'importe le travail, tu ne sais pas ce qu'ils sont capables de faire !

Mon père ne peut se décider à quitter ce Montmartre qui nous a vus naître, qui l'a accueilli, qui est toute sa vie, un endroit où il est heureux, où il se sent chez lui. Maurice et moi, on n'imagine pas bien ce qui peut arriver. Maurice pense que les parents vont décider un de ces quatre de nous envoyer rejoindre nos frangins et frangines à Menton :

— Ça va changer pour nous... C'est sûr, il va falloir qu'on parte.

Au fond, pourquoi pas ? Les copains sont partis depuis longtemps. Quand on est arrivé de Bretagne, on s'est précipité au square Clignancourt.

Personne.

Pas de Marcel, donc pas de Samy.

Pas de Jacquot.

Qui aurait cru que même Aaron me manquerait ?

Et nous, nous sommes encore là. Alors, mon frère a raison. Il serait normal qu'on parte. Mais Menton, ça ne m'emballe pas plus que ça.

— S'il faut vraiment partir, pourquoi pas en Amérique ?

Maurice me sourit :

— L'Amérique... L'Amérique, mon Jojo... c'est pas demain la veille...

En fait de voir la statue de la Liberté et les quarante-huit étoiles du drapeau américain, un jour de mai 1942, Maman a cousu, côté cœur, sur nos tabliers noirs, cette étoile jaune qui ressemblait à s'y méprendre à une étoile de shérif.

Epilogue

Aujourd'hui, je ne peux terminer cet ouvrage sans rendre justice au grand Jack. Je vous restitue cette histoire telle qu'elle me fut narrée par mes frères aînés.

Nous sommes exactement le 20 août 1944. On se bat encore dans Paris. Drancy, d'où sont partis des milliers de juifs pour la déportation, a été libéré quelques jours auparavant. Mes frères et ma mère ont échappé aux camps de la mort.

Mon père, lui, n'a pas eu cette chance.

Je l'ai perdu.

J'avais douze ans.

La vie reprend pourtant ses droits. Il faut apprendre à vivre autrement. Henri et Albert sont en train d'essayer de redonner un aspect convenable au salon de coiffure abandonné pendant presque toute la durée de l'occupation. Albert lessive la vitrine pendant qu'Henri, à l'intérieur, tente avec plus ou moins de bonheur de raviver les couleurs des murs. Tous deux remarquent soudain un sous-officier de sa Gracieuse Majesté britannique qui les observe depuis l'autre trottoir. L'homme s'approche et pousse avec assurance la porte du salon. Intrigué, Albert lui emboîte le pas. L'homme sourit et les salue par leurs prénoms. Interloqués, ils se concertent du regard. Qui est cet homme qu'ils n'ont jamais vu et qui semble, lui, bien les connaître ? Albert le dévisage. Il s'avance un peu plus près et c'est le choc :

— Mais tu es Jack, celui qui est parti avec la caisse de l'Association des malheureux joueurs de courses !

— *Yes I am*, répond Jack en rigolant.

Albert et Henri sont stupéfaits de le revoir, qui plus est en militaire anglais ! Ils l'assaillent de questions :

— Explique-nous un peu ce que tu fais maintenant en soldat ?

— Pourquoi n'es-tu pas revenu avant la guerre ? Ils ont tous cru que tu étais mort !

Il hoche la tête et sourit. Quand Henri et Albert lui expliquent ce qui s'est passé dans le quartier pendant la guerre, Jack est incrédule :

— C'est impossible, le restaurant roumain *Chez Philippe* détruit. Et ce brave Chaïée Pépec qui allait manger au bistro en face du sien parce qu'il disait que c'était moins cher que chez lui, disparu aussi. Et même *Le Clair de Lune* qui a fermé ?

— Eh oui, c'est comme ça ! Le quartier s'est vidé de la majeure partie de sa population et de ce qui faisait son charme...

Jack est consterné. Il y a de quoi. Ils bavardent encore longtemps. Le silence tombe lorsqu'il demande des nouvelles de mon père.

Il ne veut pas quitter la famille tout de suite, alors il invite Henri et Albert dans un restaurant où l'on peut, moyennant le prix fort, déjeuner comme avant la guerre, le marché noir étant plus que jamais florissant dans la capitale. Henri et Albert le laissent parler :

— J'ai eu de la chance, à Londres, même si on a dérouillé. On s'en est quand même sortis... Quand je vois ce qui s'est passé ici, je bénis le ciel et votre père. Sans lui je n'aurais jamais eu l'idée de partir là-bas !

Puis il marque un temps et ajoute, embarrassé :

— Les enfants, ne me jugez pas trop vite... L'argent des joueurs, je l'ai investi et je vais le rendre.

Il sort son portefeuille et, avec un flegme tout à fait britannique, il explique :

— En 1937, j'ai emprunté à la société environ trois mille francs. C'était beaucoup d'argent... Eh bien, aujourd'hui, je vous en rends le double. Avouez que c'était de l'argent bien placé. La moitié appartenait à votre père. Pour le reste, je vous fais confiance. Mais il y a une chose que j'aimerais savoir : est-ce qu'il m'en a voulu ?

Que répondre ? Ce sous-officier de la Reine faisait un retour bien tardif certes, mais qui réparait ce qu'il convient d'appeler un péché de jeunesse. Sans se consulter, mes frères ont répondu :

— Tu sais Jack, Papa ne s'est jamais pris pour le Bon Dieu. Il ne jugeait personne, et surtout pas ses amis. Il disait toujours qu'il faut aimer et apprécier ses amis autant pour leurs défauts que pour leurs qualités. Alors...

Ce fut la première somme d'argent qui rentra dans les caisses de la famille. Un nouveau départ. Et, comme un bonheur ne vient jamais seul, Paris fut libéré dans les deux ou trois jours qui suivirent.

Du même auteur :

Au Livre de Poche

Le Cavalier de la Terre promise.

Aux éditions J.-C. Lattès

Un sac de billes, récit.
Anna et son orchestre, roman,
Prix RTL Grand Public.
Baby-foot, roman.
La Vieille Dame de Djerba, roman.
Tendre été, roman.
Simon et l'enfant, roman.
La Jeune Fille au pair, roman.
Je reviendrai à Göttingen, roman.

Aux éditions Ramsay

Un curé pas comme les autres, roman.

Pour enfants

Le Fruit aux mille saveurs, Ed. Garnier
La Carpe, G.P. Rouge et or.

Composition réalisée par JOUVE

IMPRIMÉ EN FRANCE PAR BRODARD ET TAUPIN
Usine de La Flèche (Sarthe)
LIBRAIRIE GÉNÉRALE FRANÇAISE - 43, quai de Grenelle - 75015 Paris.
ISBN : 2 - 253 - 14545 - 9

31/4545/5